LA VALSE DES ARBRES
ET DU CIEL

JEAN-MICHEL GUENASSIA

LA VALSE DES ARBRES ET DU CIEL

roman

ALBIN MICHEL

IL A ÉTÉ TIRÉ DE CET OUVRAGE

Vingt exemplaires
sur vélin bouffant des papeteries Salzer
dont dix exemplaires numérotés de 1 à 10
et dix exemplaires, hors commerce, numérotés de I à X

À Eddy, à Catherine, à Alain

Plus j'y réfléchis, plus je sens qu'il n'y a rien de plus réellement artistique que d'aimer les gens.

Lettre de Vincent à Théo

Je tiens à être honnête avec ceux qui me liront, mais surtout avec moi-même. Ces souvenirs heureux sont tout ce qui me reste et je ne veux pas qu'ils soient gâchés. Un jour, ce journal sera découvert, et cette histoire sera révélée. Pour qu'elle reste secrète, comme elle l'a été jusqu'à ce jour, il aurait fallu que je brûle ce carnet, mais je ne peux m'y résoudre, car il constitue l'unique lien qui me relie à lui et, dans ces pages, je peux relire notre histoire et retrouver ma jeunesse. Et cela, je ne peux me décider à l'effacer. Après... quelle importance. Je n'ai pas toujours été le témoin des faits que je vais rapporter maintenant. Je les ai recueillis, fortuitement ou patiemment et, pour certains, quarante ou cinquante ans après qu'ils se sont déroulés. Je les ai reconstitués comme un détective, par déduction et logique, ou comme lorsqu'on cherche la pièce manquante d'un puzzle, la seule qui s'emboîte parfaitement à cette place et permette de compléter l'ensemble. Ce dont je peux vous assurer, c'est que je suis sincère dans

11

la relation de ce récit, même si j'y suis impliquée, je ne me laisse pas aveugler et n'essaye en rien de me donner le beau rôle ou de diminuer ma responsabilité. À cela, il y a une bonne raison. Le temps a passé. Le temps qui efface tout. Je n'écris pas ces lignes à chaud, sous le coup de la colère ou de l'émotion. Des dizaines d'années se sont écoulées. Deux grandes guerres ont ravagé le monde. En cette année 1949, combien sommes-nous encore vivants à l'avoir bien connu ? Quatre, cinq, tout au plus. Tellement de gens ont émis des avis péremptoires sur son caractère, ont fait des déductions hasardeuses sur son comportement et ont tenté de cerner sa personnalité, que j'ai souvent été outrée par leur suffisance et révoltée par leur bêtise, mais je n'ai pas voulu relever leur petitesse, ils n'en valaient pas la peine. Pourquoi les médiocres se croient-ils autorisés à dire n'importe quoi sur les génies ? Qu'est-ce qu'ils y comprennent au génie ? Pourquoi ne se contentent-ils pas de regarder ses tableaux ? Tout simplement. Je suis la seule à l'avoir aimé et la seule sur cette terre qu'il ait jamais aimée. Je suis une vieille femme aujourd'hui, qui n'a plus rien à voir avec la péronnelle que j'étais. Je me revois agir à cette époque avec un détachement quasi clinique, comme si je parlais d'une autre. Pour moi, il s'agit de témoigner. De me rapprocher le plus possible de la réalité que je suis, désormais, la seule à connaître. Sans rien omettre, ni dissimuler. Au contraire, même, je veux consacrer le peu de temps et de forces qui me reste à lutter contre les mensonges accumulés et qui se sont stratifiés, jusqu'à former le credo officiel, puisque chacun y trouve son compte. Trop nombreux sont ceux qui préfèrent entretenir les rumeurs et les légendes, jolies et poignantes, certes, mais sans fondement. Je n'ai d'autre intérêt que de rétablir la vérité, pas de la travestir, de me justifier ou d'atténuer ma culpabilité, ni d'entretenir le mythe. Je n'ai de comptes à rendre à personne, si ce n'est à Dieu ; pourtant, il y a longtemps, je l'ai renié et je l'ai maudit. Mais mon tour est arrivé, je vais bientôt comparaître devant son tribunal, et je ne regrette rien.

*

Avec plus de trente millions de visiteurs, l'Exposition universelle de 1889 est un immense succès. Elle célèbre autant le centième anniversaire de la Révolution française, que la prospérité économique de la France, l'expansion de son empire colonial, l'avènement de l'électricité et le progrès technique. La tour Eiffel est le clou de l'exposition*.

---

* Les passages en italique sont, pour la plupart, des extraits d'articles de presse ou de correspondances reproduits dans leur orthographe d'origine (*note de l'auteur*).

*

Je suis née d'une femme énigmatique, qui m'a été dérobée. J'avais trois ans quand la maladie a emporté ma mère, et j'ai longtemps cru qu'il n'y avait nulle part de portrait qui puisse me révéler à quoi ressemblait son visage. À cette époque, la photographie n'était pas aussi répandue qu'aujourd'hui. Mon père regrette de n'avoir pas pensé à faire un daguerréotype lors de leur mariage. Cela n'était pas à la mode. J'aurais tant aimé qu'il en garde un souvenir. Il me dévisage et soutient que ses traits s'estompent de sa mémoire et qu'il doit faire un effort insoutenable pour la revoir telle qu'il l'a aimée. Mais il ne dit pas la vérité : une fois il n'y a pas pensé et à la deuxième occasion il a reculé devant la dépense. Il passe son temps à soupirer. Les yeux dans le vague, presque à défaillir. Des soupirs appuyés, qui s'exhalent malgré lui, à tout moment. Est-il accablé pour le reste de ses jours de l'avoir perdue ? Il assure qu'elle était la meilleure épouse qui soit, qu'il restera inconsolable à jamais, et que je ne lui ressemble en rien, si ce n'est par ma chevelure ondulée. Il me jette qu'il n'y a pas de personnes plus dissemblables, à le faire douter que je sois sa fille. Il se demande où je suis allée pêcher mon insolence et ce caractère détestable, pointu et rebelle, qui lui cause tant de souci. Il prétend que jamais père n'eut fille qui lui donnât moins de satisfactions. Je ne réponds rien quand il me lance ces piques, car je suis

14

ainsi qu'il m'a faite. Je lui tourne le dos. C'est tout ce qu'il mérite.

Cette mère dont il ne me reste aucun souvenir, comme si elle n'avait pas existé, me manque chaque jour un peu plus. Je vais toutes les semaines au cimetière, qu'il pleuve ou fasse tempête. De ma vie, je n'ai pas manqué une seule fois ce rendez-vous auquel je tiens tant. Je reste face à sa tombe, comme si elle allait m'envoyer un message de l'au-delà, me donner un conseil et m'aider à accomplir mon destin. Je m'adresse à elle, et je sais qu'elle m'écoute. Quand j'étais petite, après son décès, il paraît que je ne cessais pas de la réclamer, que je posais cent fois par jour à mon père la question de son retour ; mon obstination l'insupportait, et il fallait l'infinie patience de Louise pour réussir à m'endormir. Je lui demandais souvent de me parler de ma mère. Elle, elle l'a bien connue. C'est ma mère qui l'a embauchée quand mon père a acheté cette maison, il venait de toucher l'héritage de son propre père et voulait vivre à la campagne, mais à proximité de Paris. Louise n'est pas bavarde. À chaque fois que je l'interroge, je sens que ma question la gêne, elle hausse les épaules, cherche dans sa mémoire et ânonne deux trois banalités. Ta mère était gentille. Tout le monde l'aimait. C'est bien triste qu'elle soit partie si vite. Puis elle retourne à ses occupations, et me laisse seule avec mon fantôme.

Louise est notre gouvernante, elle nous a élevés, mon frère et moi, et s'est occupée de nous avec le cœur d'une mère. Sans elle, je me demande ce que nous serions devenus car mon père est lointain, accaparé par la noirceur de ses pensées, ses occupations parisiennes et ses innombrables amis. J'aime beaucoup Louise, c'est une femme douce et discrète, qui s'occupe de tout dans cette demeure et je ne lui en veux pas d'avoir remplacé ma mère. La chose s'est faite de façon si naturelle qu'il m'a toujours paru préférable que ce soit elle qui s'installe dans le lit de mon père et pas une autre, qui aurait voulu tout régenter et nous imposer sa loi. Elle et mon père ont veillé à sauvegarder les apparences. Entre eux, pas de geste d'affection ou de tendresse. Il est le maître, elle la servante. Personne ne peut imaginer quelle est leur véritable relation ; même au village, où les mauvaises langues ne manquent pas, nul ne s'en doute, en tout cas, pas un voisin ni un commerçant ne s'est permis de faire la moindre allusion. Même mon petit frère l'ignore. Il dort comme une souche, n'entend pas leurs allées et venues. Mais moi dont le sommeil est fugace, je perçois les pas furtifs, les charnières qui grincent, le parquet qui couine et d'autres bruits. Pourtant, je ne dis rien. Louise reste à sa place, nous à la nôtre, tout est bien ainsi. Mais au silence qui règne depuis longtemps déjà, j'ai compris qu'une ombre est tombée entre eux et qu'il ne la rejoint plus jamais dans sa chambre.

Souvent, les soirs d'hiver, quand devant le feu nous nous envolons dans les brouillards du passé, que mon frère est monté se coucher, je demande à mon père de me la raconter, est-ce que ma mère chantait et comment était sa voix ? quelle pièce de musique jouait-elle sur le piano, quels livres lisait-elle et les mille questions désordonnées qui me viennent. Il reste silencieux, puis un vieux sourire apparaît, venu d'on ne sait où, mais il n'apporte pas de réponse. Sa gorge se noue, ses yeux s'embrument. Il soupire, ses lèvres s'agitent. On dirait qu'il va me livrer enfin un secret et soulager son accablement. À quoi bon ? murmure-t-il. J'ai beau hausser le ton, lui reprocher son égoïsme et sa froideur, il attrape le chandelier et, en protégeant la flamme de sa main, sans même me souhaiter la bonne nuit, disparaît dans l'escalier, et j'entends la porte de sa chambre qui se referme. Je reste seule à imaginer ma mère dans cette pièce, me caressant la tête et me jouant un air de piano pour me calmer. Mon père se fiche que je souffre. Il ne m'aime pas, je le sais. Et moi, je le déteste.

*

En 1890, une femme de ménage gagne 1,50 fr par jour, une ouvrière de l'industrie 2,46 fr, un ouvrier 4,85 fr, un employé de bazar 5 fr. On travaille de quinze à seize heures par jour, six jours par semaine. En 1892, une loi limitera à douze heures la durée du travail quotidienne pour les adultes.

*

17

Moi, Marguerite Gachet, aujourd'hui mercredi 19 mars 1890, je fête seule mes dix-neuf ans et je me fais la promesse solennelle de quitter cette terre de désolation pour gagner l'Amérique lumineuse, je jure sur la mémoire de ma mère que rien ni personne ne m'en empêchera. Deux longues années à patienter avant que ne survienne la délivrance de ma majorité, le temps de me préparer à cette aventure, de mettre de côté l'argent du voyage et de quoi vivre avant de trouver un emploi de préceptrice dans la bonne société new-yorkaise, puis, je l'espère, de pouvoir vivre de mon talent. Je deviendrai une peintre américaine. J'ai la chance de bien parler l'anglais, je dois désormais parfaire mon accent et m'informer sur les mœurs de ma nouvelle patrie. Je connais mes classiques, je donnerai des leçons de français, de latin et d'histoire. Une fois installée, je pourrai prétendre à une meilleure situation et me payer des cours de peinture. Les opportunités ne manquent pas dans ce pays neuf pour les cœurs courageux. Je suis déterminée à partir sans esprit de retour. À couper les ponts avec cette famille qui n'en est pas une. Jamais je ne reviendrai, quoi qu'il arrive. Même si on me supplie ou m'appelle au secours. D'ailleurs, cela sera impossible. Je ne donnerai de nouvelles à personne. Nul ne saura où je me trouve, ni si je suis morte ou vivante. Je disparaîtrai de la surface de cette terre stérile où il n'existe d'autre espoir que de finir vieille fille ou femme au foyer.

Comment pourrais-je avoir des regrets ? Qui m'en donnerait ? Je vis au centre d'un désert.

Ni mon père ni mon frère ne m'ont souhaité mon anniversaire. Avec la disparition de ma mère, j'ai perdu le seul être pour qui je comptais un tant soit peu. Je me sens étrangère dans ma propre maison, où l'on m'accorde moins de considération qu'à ce tapis ou ce buffet. Ni mon père ni mon frère, qui sont à Paris, n'ont eu de pensée à mon égard. À leur retour, samedi, aucun ne se souviendra que je viens d'avoir une année de plus. Pourtant, eux s'offusqueraient que j'oublie cette célébration, que je n'aie pas à leur égard une attention, que je ne leur fasse pas un petit cadeau. Mais leur affection s'arrête à eux-mêmes. Ils ne donnent rien aux autres. Depuis que cette évidence m'a sauté aux yeux, je lis dans leurs actions comme dans un livre ouvert. Ils sont tellement prévisibles, leur égocentrisme est tellement forcené que cela serait risible si je n'en avais autant de tristesse. Chaque année, je n'y fais pas allusion, pour voir s'ils y penseront, et je ne suis pas déçue : ils m'ont oubliée.

Comme chaque année, seule Louise y a pensé. Ce matin, quand je suis entrée dans la cuisine, elle m'a prise dans ses bras et m'a serrée contre elle, elle si peu démonstrative d'ordinaire de la moindre tendresse m'a souri avec une infinie gentillesse et m'a souhaité plein de bonnes choses et le meilleur pour l'avenir. Et son sourire valait tous les cadeaux du monde. Il m'a envahie comme un rayon de soleil. Le jour de mes vingt et un ans, je leur laisserai une lettre leur annonçant que je pars quelque temps, et je serai arrivée en Amérique qu'ils ne se seront toujours pas inquiétés de mon départ. Je me fais ce serment sur la mémoire de ma mère, elle dont je ne conserve rien d'autre que le sang qui coule dans mes veines et qui sera la seule, de là où elle se trouve, à m'aider et à me soutenir.

*

« Nous venons, écrivains, peintres, sculpteurs, architectes, amateurs passionnés de la beauté intacte de Paris, protester de toutes nos forces, de toute notre indignation, au nom du goût français méconnu, au nom de l'art et de l'histoire française menacés, contre l'érection, en plein cœur de notre capitale, de l'inutile et monstrueuse tour Eiffel... »

Guy de Maupassant, Alexandre Dumas fils, Émile Zola, Gounod, Charles Garnier figurent parmi les trois cents artistes signataires de cette pétition, d'autres comme Gauguin, Verlaine, les Goncourt, Alphonse Allais, et bien d'autres, dénigrent la tour.

*

Mon père m'a fait la plus grande peur de ma vie. Rien que d'évoquer cet événement, j'en ai la chair de poule. En pénétrant dans l'atelier, je l'ai aperçu debout devant la presse à eau-forte, en bras de chemise, avec son revolver d'ordonnance pointé sur son œil, j'ai cru qu'il allait tirer, se faire sauter la cervelle, j'ai crié, il a sursauté, il est devenu blanc, m'a reproché d'avoir pris un risque inouï, il aurait pu appuyer sur la détente par mégarde, et le coup aurait pu partir, même s'il examinait le canon parce que l'arme s'était enrayée. Cet incident le caractérise à merveille : à aucun moment, il n'a été heureux de constater que sa fille tremblait pour sa vie, il n'a vu qu'une réaction intempestive et déplacée, me traitant de fille stupide, et osant ajouter que c'était un pléonasme !

– J'ignore ce qui se passe mais le barillet me paraît grippé. Ou c'est le chien ou le mécanisme interne ? Tu le donneras à réparer à l'armurier de Pontoise. Et demande-lui avant combien cela va coûter. Par les temps qui courent, il est préférable d'avoir une arme en état de marche chez soi, et je n'ai pas l'intention de faire une dépense inutile pour en acheter un neuf. Et prends la boîte de munitions, cela doit faire plus de vingt ans que je les ai, ce sont des cartouches à poudre noire : qu'il les examine, elles sont peut-être défectueuses.

Il m'a tendu le revolver et la boîte de munitions. Sans dire s'il te plaît, ni merci. Il s'est remis aussitôt à travailler sur sa presse, comme si je n'existais pas. J'ai mis son revolver et la boîte dans un tiroir de la commode de ma chambre avec un foulard par-dessus. Il peut toujours attendre ; s'il veut que son arme soit réparée, il ira la porter lui-même à l'armurier, je n'ai pas l'intention de rendre le moindre service à un ingrat, égoïste, et malpoli de surcroît.

*

La Lanterne, 21 mars 1890

« *Si elle était survenue, il y a quinze ans..., la chute de M. de Bismarck eût été saluée en France comme une véritable délivrance, et c'est avec joie que de ce côté-ci des Vosges, on eût vu disparaître le principal auteur de l'effroyable drame de 1870-1871.*

Aujourd'hui, il n'en va plus ainsi, et c'est un fait bien curieux à noter que la retraite du redoutable chancelier, bien loin de soulever notre enthousiasme, provoque en nous comme un indéfinissable sentiment d'appréhension qui, s'il ne va pas jusqu'au regret, tendrait à y ressembler... Le départ de M. de Bismarck livre la paix du monde à la merci d'un cerveau mal équilibré, aussi n'est-il pas étonnant que notre démocratie laborieuse et pacifique accueille cet événement avec appréhension. Du reste, c'est le sentiment à peu près unanime de l'Europe... »

*

Je refais mon addition pour la deuxième fois, croyant m'être trompée dans le total mais, à chaque fois, je tombe sur le même montant et je suis horrifiée. Pour payer le voyage en train en troisième classe jusqu'au Havre, le passage en première avec les frais de subsistance durant la traversée, six mois dans une pension de famille à New York, avec le minimum pour vivre sur place avant de trouver un emploi qui me permette de faire face aux charges élémentaires, j'arrive au montant effarant de sept cent cinquante francs, sans les imprévus. Louise gagne trois cents francs par an, mon père a assez répété qu'elle le ruine avec ses appointements, qui n'ont rien d'excessif, et qu'il allait être obligé de se séparer d'elle, tôt ou tard. Je lui ai répondu qu'il ne devait pas compter sur moi pour faire son ménage et sa cuisine, et que s'il voulait manger, il devrait aller à l'auberge. Mon pécule, laborieusement mis de côté, s'élève à force de privations à la redoutable somme de soixante-deux francs. De quoi aller au Havre et... revenir. Je ne vois pas par quel miracle il gonflerait pour me permettre d'accomplir mon rêve. Je dois me résoudre à faire le voyage en bateau en troisième classe, quels que soient l'inconfort et les épreuves à supporter, et là, mes besoins atteindraient un peu plus de quatre cents francs. Après tout, des millions de personnes ont voyagé ainsi, et si beaucoup sont mortes au cours de la traversée, c'est que, probablement, elles n'étaient pas en aussi bonne santé que moi. Du coup, mon projet reprend des couleurs.

Quand j'ai évoqué la possibilité de donner des leçons de français au fils du maire qui éprouve des difficultés dans son lycée, mon père a levé les yeux au ciel comme si je venais de proférer une énormité. J'ai bien compris que je n'y arriverais pas par cette voie. Si je ne trouve pas de quoi augmenter mon pécule, je n'ai comme solution que de vendre certains des bijoux de ma mère, que mon père m'a remis il y a longtemps déjà et dont il a, apparemment, oublié l'existence. À coup sûr, je pourrai trouver un bijoutier qui m'en donnera un bon prix. Je ne vois guère d'autre moyen. Ce sont des pièces déjà anciennes, d'une certaine valeur, et je n'aurais à me défaire que d'une paire de boucles d'oreilles, de deux bagues, et d'une parure peut-être. Ce qui me retient d'accomplir ce geste, c'est que j'ai la conviction de trahir ma mère ; pour contrebalancer ce sentiment, je me dis qu'elle aurait été heureuse que ses bijoux me servent à accomplir mon rêve. Je ne les porterai jamais, j'aurais l'impression d'usurper sa place, de profiter de sa disparition. Dans leur écrin, ces bijoux sont inutiles. Bien sûr, il faudra me rendre à Paris et, avec discrétion, solliciter un bijoutier.

Et encore, dans mon calcul, j'assume un risque, j'ignore quel est le coût de la vie à New York, je présume qu'il est du même ordre qu'ici. Que se passera-t-il s'il est plus élevé ? Comment savoir ? Si je vivais à Paris, j'arriverais à force de ténacité par trouver un ami qui puisse m'éclairer, mais coincée dans ce trou, je suis condamnée à d'éternelles suppositions. Il n'y a pas d'urgence, j'ai du temps devant moi, et je ne dois pas gâcher ce précieux délai en m'endormant. Au contraire, je dois me préparer, saisir chaque opportunité d'organiser au mieux ce voyage sans retour. Je dois me résoudre à en parler à Hélène, elle aura peut-être une idée, ou une connaissance qui me sera utile. Après tout, c'est ma meilleure amie, je peux lui faire confiance, elle ne me trahira pas.

*

Trente-quatre millions d'Européens émigrent aux États-Unis au cours du XIXe siècle. Les conditions du voyage sont effrayantes, la mortalité est supérieure à deux pour cent pour ceux qui voyagent en troisième classe; depuis Le Havre, la traversée coûte environ 300 fr.

*

L'amitié est une chose assez mystérieuse, assurément, et je ne cherche plus à comprendre pourquoi Hélène Liberge et moi sommes les meilleures amies du monde depuis notre plus tendre enfance, car il n'existe pas deux êtres sur cette terre plus différents que nous. Non seulement nous n'avons pas d'opinions en commun, mais nous réagissons toujours de manière opposée. Nous ne partageons aucun centre d'intérêt, ne lisons pas les mêmes livres, n'admirons pas les mêmes personnes, et je pourrais énumérer pendant des heures ce qui nous sépare et me creuser la tête tout autant pour trouver ce qui nous réunit. Mais, comme elle le dit si bien, le jour succède à la nuit, ils ne s'affrontent jamais, et se complètent à merveille. Quand je parle, elle m'écoute sans me contredire, et quand elle hoche un peu la tête, je sais qu'elle n'approuve pas. Elle ne ressent pas le besoin d'exprimer son opinion, non par calcul, mais parce qu'elle n'en éprouve pas la nécessité ; quand je vitupère, que je la mets en demeure de se départir de ce silence si commode, elle me répond : *Que veux-tu que je te dise ? Tu as sans doute raison, qu'en sais-je, moi ?* De l'avis unanime, elle a un caractère en or, ne voit que le bon côté des choses, ne s'offusque de rien, affiche un visage aimable, une humeur raisonnable et égale, et d'aussi loin que ma mémoire remonte, je ne me souviens pas de l'avoir entendue crier une seule fois, s'énerver, dire du mal de quelqu'un ou protester à propos de quoi que ce soit. C'est cette douceur et cette constance, qui m'agacent pourtant, que j'apprécie le plus chez elle, et qui me font rechercher sa compagnie. Elles se lisent sur son visage apaisé, et à chacune de nos rencontres, je ne manque pas de saisir ses traits sur mon carnet de dessin, à la sanguine, et pendant que nous parlons, je la portraiture, dans la même pose, assise sur la bergère de son salon, comme David le fit jadis de Madame Récamier, quand bien même je n'ai pas le centième de son talent, mais qu'importe, nul ne me juge, et quand je considère que mon dessin est hideux, elle le trouve charmant, et m'encourage à persévérer.

Chaque mercredi, je m'applique à faire un dessin entier. Dans les coins de la feuille, j'approfondis des détails ou j'esquisse des parties plus délicates à attraper. La sanguine a cet avantage que le repentir y est facile, la reprise invisible, la raideur de ma pointe peut passer pour volontaire, et je peux l'estomper avec le bout de mon doigt, en ombrant le trait. Hélène s'extasie de ses portraits, les montre à ses sœurs, qui s'exclament à leur tour et me demandent de les dessiner. J'ai réussi à y échapper en prétextant que je n'étais pas prête, mais j'ai du mal à supporter leurs babillages.

Si elle l'avait voulu, intelligente comme elle l'est, Hélène aurait pu faire de belles études. À une époque, elle s'intéressait aux astres et aux étoiles, l'étude des sciences positives semblait la tenter mais cet engouement s'est effiloché. Je l'ai exhortée à profiter de l'autorisation qui nous était enfin donnée de nous inscrire en faculté des sciences, mais j'ai prêché dans le désert, elle s'est arrêtée après son diplôme de fin d'études, elle ne ressentait pas l'envie de parfaire son instruction, s'estimant remplie par l'enseignement des travaux d'aiguille et de l'économie domestique, trouvant inconvenant de devoir batailler pour s'imposer et totalement inutile d'aller plus loin dans son éducation, que ce soit pour son accomplissement personnel ou pour s'employer dans le futur.

« À quoi bon ? soutient-elle. C'est un métier que de
tenir une maison, de veiller à son bon ordre et que tout y
soit parfait. Quel homme voudrait d'une épouse qui s'en
va à l'aube et revient à la nuit tombée, fatiguée comme
lui par une dure journée ? Et qui, en son absence,
réveillera les enfants avec amour, qui les accueillera à
leur retour de l'école et s'occupera de leur éducation ? »

Hélène, et c'est la plus grande de nos différences, est
contente de son sort et ne songe nullement à remettre en
cause l'ordre des choses. Elle n'a aucun problème avec
son père, s'entend à merveille avec sa mère et ses sœurs,
assurée par la bonne fortune de sa famille d'un état
auquel je ne peux prétendre, parce que moi, je n'ai pas
de dot à mettre dans la balance. Hélène est une amie
comme il n'en existe pas. Je regrette souvent mes ricanements et mes sarcasmes, mon air de mépris quand elle
me soutient qu'il n'y a pas de plus douce situation pour
elle que de gouverner son foyer ; il n'existe pas de personne meilleure qu'elle.

Quand je me suis résolue à lui annoncer mon intention de partir pour l'Amérique dès que cela me serait
possible, elle ne m'a pas sermonnée, comme je m'y
attendais, elle n'a pas soutenu que ce serait une folie ou
que j'allais prendre mille risques inutiles, elle a juste
murmuré : *C'est triste, nous ne nous verrons plus.* Et
quand je lui ai exposé que mon principal souci était de
réunir l'argent du voyage, et que j'envisageais de vendre
les bijoux que je tenais de ma mère, elle m'a répondu

que ce serait une mauvaise action et que je devais les conserver toujours, qu'elle m'aiderait, disposant de fonds suffisants sur sa cassette personnelle, que ce serait peu de chose pour elle, qu'elle le ferait pour l'amour de moi et pour m'aider à accomplir mon rêve, même si elle doutait que ce soit le bon chemin pour y arriver. J'ai protesté avec véhémence, soutenant qu'il m'était impossible d'accepter un tel cadeau, car il ne me serait pas possible de lui rendre la pareille, et que, surtout, j'avais ma fierté, que je ne solliciterais aucune aide, aucune aumône, et que jamais je n'accepterais d'être redevable à qui que ce soit, fût-ce à ma meilleure amie. Elle est restée silencieuse, hochant la tête comme à son habitude, et a dit : *Je comprends, et tu as raison.*

*

Règlement intérieur de la vinaigrerie Desseaux, 1890 :

« 1. *Piété, propreté et ponctualité font la force d'une bonne affaire.*
2. *Notre firme ayant considérablement réduit les horaires de travail, les employés de bureau n'auront plus à être présents que de sept heures du matin à six heures du soir, et ce les jours de semaines, seulement.*
3. *Des prières seront dites chaque matin dans le grand bureau. Les employés de bureaux y seront obligatoirement présents.*

8. Il est strictement interdit de parler durant les heures de travail.

[...]

10. La prise de nourriture est encore autorisée entre 11 h 30 et midi, mais en aucun cas, le travail ne devra cesser durant ce temps. »

*

Cent ans après la Révolution, dans notre société française, l'égalité des citoyens est un pur mensonge et la devise inscrite sur le fronton de nos monuments un leurre : les femmes restent des citoyennes de second rang. Et pour longtemps encore. Quand j'ai voulu me présenter au baccalauréat, aucun de mes professeurs n'a compris mes raisons. *Pour quoi faire ?* disaient-ils avec gentillesse. *Vous avez eu la chance de recevoir une éducation admirable. Que cherchez-vous de plus ? Le diplôme de fin d'études est largement suffisant.* Je dois reconnaître que mon père, pour une fois, a été remarquable. Sans lui, sans ses relations, je n'aurais pas été autorisée à passer cet examen.

Ai-je bien fait de tant insister et d'espérer que je pouvais avoir un avenir, à quoi me sert-il aujourd'hui d'avoir obtenu ce précieux diplôme si je ne peux rien en faire ? Nous l'avons fait encadrer. Il trône, protégé dans un joli cadre doré dans le salon, à côté du buffet, mon père ne manque pas de le montrer aux rares visiteurs, qui s'exclament et me félicitent, s'extasient des progrès accomplis pour l'éducation des jeunes filles, mais il n'en est rien sorti de concret. J'étais persuadée que ce serait un sésame, le début d'une aventure qui me conduirait loin et me permettrait d'accéder à l'université : c'était le terminus. Mes études ont été finies avant d'avoir commencé.

Pour l'épreuve de lettres, le sujet était périlleux : « Réfuter cette maxime de La Rochefoucauld : *Notre repentir n'est pas tant un regret du mal que nous avons fait qu'une crainte de celui qui nous peut arriver.* » Un moment, j'ai été tentée de prendre le contre-pied, tellement cette pensée me paraissait profonde et perspicace, mais j'ai procédé en élève docile. Et j'ai réfuté. En trois parties. J'ai obtenu la meilleure note de l'académie. Plutôt que d'opiner avec docilité, j'aurais mieux fait de contester le sujet, de soutenir la pertinence de ce point de vue, monsieur le duc savait des choses sur l'âme humaine que nos maîtres se refusent à voir et à admettre. Je suis, aujourd'hui, bien punie de mon manque de courage. Si j'avais exprimé ma véritable opinion, une note éliminatoire m'aurait sanctionnée, je n'aurais pas conquis ce parchemin et je ne m'en porterais que mieux. En vérité, nos actions sont dictées non par la recherche de la vertu ou de la justice mais par le seul bénéfice que nous en escomptons, il en est de même de nos regrets.

Mon père estime que j'ai atteint un objectif exceptionnel et qui doit suffire à me contenter, aucune des filles de ses amis ou de ses connaissances n'a poursuivi jusqu'à un tel niveau d'éducation. J'ai compris, avec retard je le reconnais, que mon père ne m'a pas encouragée à passer le baccalauréat pour me permettre de faire des études supérieures et d'acquérir un métier ou une situation, mais uniquement pour se rengorger auprès de ses relations, pour montrer que sa progéniture était supérieure à celle des autres, que le sang familial possédait ce petit quelque chose de plus que les autres n'avaient pas. Si je me suis donné tant de mal, travaillant avec acharnement, j'ai conscience aujourd'hui que ce n'était pas pour préparer mon avenir et assumer mon futur, mais uniquement pour satisfaire son narcissisme. Il pouvait ainsi paonner, afficher sa modernité, faire honte à ses relations qui maintiennent épouses et filles à l'état de potiches de luxe, ignares et satisfaites, jouets dociles entre les mains de leur mari et maître, et montrer que lui, le docteur Gachet, est un progressiste, un homme d'avant-garde, et qu'il dépasse les a priori de ses connaissances. Mon diplôme est sa victoire.

J'ai obtenu mon baccalauréat avec les félicitations du jury et maintenant, je me morfonds. Chaque journée est plus monotone que la précédente. Il n'y a rien pour égayer mes jours, aucune espérance, si ce n'est de finir bourgeoise confite dans son salon à surveiller si la bonne a bien astiqué les meubles ou préparé un repas suffisant pour contenter l'individu que mon père me proposera d'épouser. Dans mon intérêt, bien sûr. Mais comme par hasard, celui vers qui me poussera son désir arrangera sacrément les siens.

Il n'existe qu'une échappatoire : m'enfuir comme une voleuse, et je devine que mon destin sera difficile quand j'aurai commis cette folie. Si je reste, je mourrai, c'est sûr. Lentement, l'idée insensée du voyage en Amérique s'est imposée comme une planche de salut. Malgré les obstacles innombrables que je pressens, cette entreprise paraît pleine d'espoirs, mais pleine de menaces aussi. Serai-je assez forte pour les surmonter ou me feront-elles trébucher ? Je n'ai d'autre possibilité que d'aller plus avant dans cette voie ou de me résigner à accepter mon sort. Ces deux années vont être interminables. Aurai-je la force de tenir ? De faire bonne figure ? Ou viendra-t-il à bout de ma résistance ? Je n'imagine pas échouer et alors devoir renoncer à tout, peut-être me marier avec Georges, ou un autre, ou rester vieille fille et pourrir sur pied.

*

La Lanterne, 24 juillet 1890

« *Il est probable que l'institution du baccalauréat que les trois quarts des lauréats doivent à la chance et le reste à leur travail va disparaître. C'est le ministre... qui propose sa suppression... Mais comme il faut néanmoins*

une sanction aux études scolaires, ... les élèves passeraient un examen à peu près semblable...»
En 1890, 6 765 bacheliers sont reçus en France, dont 93 jeunes femmes, les droits d'inscription s'élèvent à 120 fr. Les rares lycées de jeunes filles ne préparent pas au baccalauréat, seules les plus persévérantes (et fortunées) peuvent se présenter en candidates individuelles ; cette situation durera jusqu'en 1924.

«En 1887, se souvient Jeanne Crouzet-Benaben, aux épreuves écrites, sur une centaine de candidats, on remarquait deux robes : encore la seconde était-elle une soutane...»

*

La maison m'appartient dès que mon frère la quitte le dimanche par le train de 17 h 27 pour rejoindre, la mort dans l'âme, le lycée Condorcet où il est pensionnaire et où il souffre en silence de la discipline de fer et des punitions à répétition. C'est un garçon délicat et tête en l'air, qui du haut de ses quinze ans ne s'intéresse qu'à la poésie, a le plus grand mal à retenir le moindre théorème, mélange les dates d'histoire et paraît irrémédiablement rétif aux déclinaisons latines. Il désespère notre père qui s'obstine à fonder sur lui de grands espoirs et croit qu'il reprendra un jour son cabinet, raison qui le pousse à surveiller de près ses devoirs et à lui servir de précepteur, lui faisant inlassablement répéter ses leçons.

Je l'entends qui pousse des soupirs d'effroi, lui tire les oreilles et le houspille chaque fois qu'il l'interroge. De mon côté, j'assume ma réputation de fille indigne en refusant catégoriquement de m'occuper, ne serait-ce qu'une minute, de l'éducation de mon jeune frère. J'ai eu longtemps l'échappatoire idéale de devoir consacrer entièrement mon temps à la préparation de mon examen. Maintenant qu'il me serait possible de lui accorder quelques heures pour le sortir de l'abîme dans lequel il patauge, je résiste à toutes les demandes de mon père sous le seul prétexte que je n'en ai pas envie. Et que non, c'est non ! Ce qui le met en fureur. Et son dépit me ravit.

Je clame que je ne suis pas répétitrice et qu'il n'a qu'à lui en payer une, que moi-même je me suis débrouillée seule et sans son aide, et que cela ne m'a pas si mal réussi. Même si nous ne sommes pas riches, mon père aurait les moyens de lui offrir les services d'un étudiant, mais il répugne tellement à la dépense qu'il préfère perdre son temps le dimanche pour tenter de le faire progresser un peu.

En vérité, si je refuse d'aider mon frère Paul, c'est que je refuse de participer au grand gâchis de son éducation. Mon frère me sait gré de ne pas le forcer à devenir un singe savant et, au contraire, de l'encourager à persévérer dans la voie si difficile de la poésie, car il est doué, c'est sûr. Peut-être pas Rimbaud. Pas encore. Mais il a du talent, c'est évident, et il a conscience de posséder un don et qu'il ne suffit pas de lever un regard éploré vers la lune pour que les vers tombent comme par miracle. Il travaille, noircissant en secret de petits carnets aux rimes incertaines, mais, comme il le souligne : l'important, ce n'est pas la mécanique des alexandrins mais la beauté des images et la force des sentiments qu'ils provoquent. Il a, malgré son jeune âge, une précocité étonnante, voulant œuvrer à libérer la poésie de son carcan académique. Je lui ai promis de le soutenir dans la voie qu'il a choisie et d'être son alliée.

Mon frère a vécu, à sa façon, la même mésaventure que moi. Il a été le jouet de notre père. Celui-ci a découvert très tôt son goût pour la poésie et cela le flattait que son fils soit attiré par la muse, vénère les poètes, apprenne comme par enchantement des strophes entières de monsieur Hugo et nous les récite le soir à la veillée, ou lise dans un recueil les dernières œuvres de monsieur Verlaine. Mon père ne manque pas de rapporter que c'est mon frère qui a insisté, l'a supplié même, pour qu'il nous conduise aux grandioses funérailles de notre poète national, lui-même s'en serait dispensé, il craint les attroupements et les mouvements de foule, mais il ne regrette pas d'avoir cédé ce jour-là à la compassion paternelle et d'avoir voulu faire plaisir à son rejeton. Jamais il n'avait vu un tel recueillement populaire, une telle passion partagée par un si grand nombre, et jamais plus cela ne se reverra. À cette époque, quand des amis ou des parents venaient nous visiter, il poussait mon frère à déclamer dans le salon et nous l'écoutions, assis sagement, se produire comme un artiste inspiré et nous l'applaudissions avec chaleur ; parfois, mon père me demandait de jouer un morceau de monsieur Chopin, et je m'exécutais de bonne grâce. En réalité, c'est mon père qui se mettait en avant et, à travers nous, se donnait en spectacle ; sa fille poussait des études comme aucune autre, son fils montrait une sensibilité inhabituelle pour son âge, ses enfants étaient sa fierté légitime et sa revanche sur sa vie si modeste.

Mais tout changea un soir quand mon père demanda à mon frère, après son entrée au lycée, ce qu'il comptait faire plus tard. Dans sa tête, l'affaire était entendue, il ferait sa médecine et deviendrait le grand médecin qu'il n'avait pas été. Quelle ne fut pas sa stupeur quand mon frère lui répondit qu'il voulait être poète. Au début, il en rit, il prit cela pour une coquetterie d'adolescent, mais très vite il comprit qu'il y avait péril en la demeure, tellement mon frère montrait de conviction. Mon père eut beau protester que ce n'était pas un métier, que personne n'arrivait à en vivre, même les plus grands et les plus célèbres, qu'il fallait pour cela être fortuné comme messieurs de Musset ou de Heredia ou fonctionnaire et pensionné comme messieurs de Vigny ou Mallarmé et se livrer à cet art à ses moments perdus et pour le seul plaisir de la gloriole. Rien n'y fit. Mon frère n'en démordit pas. Il serait poète, et rien d'autre. Mon père, qui était réputé pour tergiverser à l'infini, prit ce jour-là une des rares décisions de sa vie :

il priva mon frère de poésie. Purement et simplement. Il débarrassa la bibliothèque de tout ce qui ressemblait à une œuvre poétique et lui interdit d'apprendre le moindre vers, sous peine de sanctions encore plus effrayantes, même s'il ne voulut pas préciser lesquelles. Il espérait que mon frère, privé de ressources, se lasserait et se trouverait une autre inclination, mais il déchanta lorsque celui-ci reçut les félicitations du professeur de lettres de son lycée, car Paul connaissait par cœur *Bérénice* et *Polyeucte* et bouleversait sa classe et son vieux professeur en les récitant avec plus de conviction qu'un comédien-français. Messieurs Racine et Corneille furent chassés illico de la bibliothèque familiale. Mon père crut avoir triomphé puisque mon frère n'évoqua plus sa passion, ne récita plus de vers lors des réunions familiales et cet engouement de jeunesse sembla appartenir au passé; mais il se trompait fort. Mon frère avait fait sienne l'arme des faibles, il avait appris la ruse; le silence et le mensonge sont des défenses infranchissables. J'ai encouragé mon frère dans cette voie, je lui ai donné, sous le manteau, les dernières plaquettes des poètes, je les ai cachées dans ma chambre, comme j'ai dissimulé dans une cache de mon placard les carnets que mon frère remplissait de ses poèmes enfiévrés, j'ai servi à mon père la chanson qu'il voulait entendre et cela l'a rassuré et endormi. Je dois juste reconnaître que dans l'art de la dissimulation et de la rouerie, mon frère est devenu un maître.

En général, mon père prend l'omnibus avec lui. S'il le voulait, il pourrait rester jusqu'au mercredi matin, puisqu'il donne ses consultations sur trois jours dans son cabinet de la rue du Faubourg-Saint-Denis, jusqu'au vendredi soir, où il reprend le train à la gare Saint-Lazare pour revenir à la maison. Mon père traîne son abattement partout avec lui, de pièce en pièce, comme s'il était à la recherche d'un objet perdu, ou il s'assoit dans le jardin pour se reposer mais pousse de profonds soupirs, et ne supporte pas de rester plus de deux minutes tranquille, ou il attrape son carnet de dessin, griffonne nerveusement trente secondes puis peste après je ne sais quoi et part faire un tour dans le village. Je ne lui propose plus de l'accompagner, il refusait systématiquement, car il aime marcher seul. La seule chose qui l'anime, c'est quand il prépare sa sacoche et qu'il lance à mon frère qu'il l'accompagne par le 17 h 27. Il a toujours des choses importantes à faire à Paris, qu'il est contraint d'accomplir, et il affirme cela comme pour justifier son absence. Avec cet air de devoir remplir une obligation qui lui coûte, alors qu'il ne fait que rejoindre ses connaissances au café pour discuter des affaires publiques, courir les salons et les expositions, et profiter des mille distractions de la capitale. Je le comprends, la vie ici est si monotone, agréable certes, mais à périr d'ennui si on n'a pas de champs à cultiver ou de vaches à traire. À la belle saison, Auvers est si douce à vivre et si fleurie qu'il prolonge quelquefois son séjour jusqu'au mercredi matin. Mais autrement, il n'y a personne alentour qui ait une conversation humaine, l'unique occupation des culs-terreux de ce pays est de considérer le ciel et les nuages avec gravité pour prévoir le temps qu'il fera tantôt.

*

D'avril 1888 à février 1891, onze femmes sont assassinées de manière particulièrement horrible dans le quartier de Whitechapel à Londres, cinq autres crimes seront, à tort, attribués au fameux Jack l'Éventreur. La couverture médiatique est énorme en Angleterre et dans le monde. Un nombre considérable d'articles, avec des descriptions cliniques des mutilations, sont publiés dans la presse française qui se passionne pour les méfaits du plus célèbre tueur en série de l'époque.

*

Ma brosse est raide et sans grâce, un bâton qui gigote sur la toile et, quels que soient ma peine et le temps que j'y passe, mes dessins sont guindés, à croire que j'ai trempé mon talent dans l'amidon. Je m'en tire parce que je biaise, je n'aborde que des sujets historiques empesés, des ruines romaines, des palais décadents, des intérieurs d'église, où seul le don de la perspective se remarque, mais celui-ci s'apparente plus à de la géométrie qu'à de la peinture ; dans mes tableaux, il n'y a aucune invention, aucune légèreté, comme si du plomb coulait de mon pinceau. Je déteste ce que je peins mais je suis impuissante à me dépasser. Je voudrais tant avoir la liberté d'un Delacroix ou d'un Tintoret, mais je n'entends rien à la dégradation de la lumière et à l'opposition des nuances, je suis incapable de composer et de créer quoi que ce soit de beau. J'excelle dans la copie des maîtres, je fais du Raphaël à s'y méprendre et du Fragonard à la chaîne. Je reproduis ce que je vois avec facilité. Je suis une imitatrice-née mais moi, je n'existe pas. C'est cela mon problème, je reconnais les belles choses mais ne peux rien concevoir par moi-même. Depuis un certain temps, j'ai trouvé une solution boiteuse, j'ai renoncé à plagier les anciens, j'ai laissé de côté les sempiternels dessins de marbres et bas-reliefs qui s'entassent dans les musées pour m'attaquer à la peinture de notre temps.

Je m'acharne sur monsieur Cézanne, qui a peint notre maison il y a longtemps déjà, et à qui mon père a acheté plusieurs toiles. L'une d'elles, avec ses pivoines blanches et bleues qui se détachent si habilement sur le fond noir d'un fauteuil, avec sa faïence de Delft un peu gondolée, me trouble par sa sincérité et sa simplicité. Je me suis demandé pourquoi elle me touchait autant, et je n'ai pas trouvé de réponse. Il a une manière de peindre les fleurs, au débotté, avec une touche griffonnée, sans ombre, ni contour, ni détail superflu, qui leur donne une vie qu'elles n'ont pas quand on s'acharne à vouloir les rendre ressemblantes, il nous donne à sentir leur odeur. Je me suis dit que si je mettais mes pas dans les siens, que je finisse par prendre sa palette, par assimiler une part de son tour de main, j'arriverais à m'en approcher. J'ai donc peint monsieur Cézanne à longueur de journée, me coulant dans son style, recommençant encore et encore la même fleur, à en avoir des crampes à force d'essayer de saisir l'insaisissable, à en avoir le dégoût des pivoines et la haine des pots en céramique et, grâce à ma ténacité, j'ai fini par attraper sa patte, il faudrait un œil de magicien pour distinguer l'original de la copie. Le jour où il nous rendra visite, je lui montrerai mes tableaux, et je suis certaine qu'il sera surpris, il ne se souviendra pas de ce cadrage, de cette silhouette de chat blanc sur le sofa ou de ce vase chinois avec des pivoines rouges, il cherchera dans sa mémoire et avouera qu'il commence à la perdre. Il ne se rappellera plus où ni quand il a créé ces tableaux, mais qu'importe puisqu'il les reconnaîtra, ils seront de lui, de sa main, de son cœur, et alors je lui dirai la vérité, que c'est moi qui les ai commis, que ce n'est pas seulement sa tournure que j'ai accaparée, son style que j'ai recherché comme un vil copiste, moi je suis entrée dans son cœur, j'ai décidé de regarder le monde à travers ses yeux, jusqu'à le voir comme lui, et j'ai fini par comprendre comment il le sent, comment il laisse la lumière descendre sans la faire apparaître, et comment il s'en sert pour faire ressortir la simplicité et la beauté des choses, pour attraper la vibration émise par cette fleur et ce vase. Je sais qu'il ne m'en voudra pas d'avoir imité sa façon car, plus que tout, j'aime le point de vue qu'il pose sur les objets les plus simples.

Cette impuissance à m'exprimer n'est pas une fatalité irréductible mais la marque de mon jeune âge, je dois me révéler à moi-même. L'idéal aurait été d'entrer aux Beaux-Arts et d'avoir accès à des maîtres de qualité, mais cela est impossible, il faudrait pour cela me déguiser en homme, les personnes de mon sexe y étant interdites, Dieu seul sait pourquoi. Peut-être les hommes redoutent-ils de perdre leur domination, si nous pouvions nous confronter à eux. Nous ne sommes bonnes qu'à contempler leurs œuvres, sans avoir le droit d'apprendre et de devenir des artistes reconnues. Et si jamais une femme arrivait à mettre un pied dans la porte entrouverte, je suis sûre qu'ils la refermeraient avec toute la violence possible, quitte à briser l'os.

*

L'Illustration, 6 octobre 1888

« *Une des grèves les plus curieuses de cette année, malheureusement si féconde en grèves de toutes sortes, aura été, sans contredit, celle des cheminauds occupés aux travaux de terrassement du chemin de fer de Limoges à Brive. Dans un de nos derniers numéros, nous faisions ressortir la naïveté et l'étrangeté des grévistes qui*

43

montraient un goût particulier pour les promenades sans objet bien déterminé... On avait dû appeler des soldats pour garder un chantier où peinaient seulement une douzaine de terrassiers, de sorte que ce déploiement de tout l'appareil de la force publique, pour la sauvegarde d'un groupe insignifiant d'ouvriers, formait un spectacle d'une incontestable originalité...»

*

J'avais pensé que ce serait, comme les autres années, une corvée, une de ces obligations mondaines et barbifiantes où il faut faire bonne figure mais qui s'avèrent d'un ennui redoutable ; tout au contraire, ce fut une journée joyeuse et réussie, qui bouleversa le cours de nos vies et détermina notre destin à tous.

À son retour, le vendredi soir, mon père annonça que nous étions invités à déjeuner le dimanche chez les Secrétan à Pontoise. Ce fut lancé d'un air désinvolte, entre deux portes, il ne s'adressa pas à moi mais à Louise, pour la prévenir qu'il était inutile de préparer le repas dominical. Mon père aurait pu m'en informer lorsque nous dînâmes en tête à tête, mais il ne desserra pas les lèvres, absorbé par la lecture de son journal. Cela ne me dérangeait plus, je ne m'attendais pas à ce qu'il me fasse la conversation, et de mon côté je n'avais rien à lui dire. Nous en étions arrivés à une relation de totale indifférence l'un envers l'autre, n'essayant même

plus de camoufler notre désaffection en nous demandant mutuellement à quelles occupations nous nous
étions livrés dans la semaine. Je connaissais pourtant ses
arrière-pensées et le motif véritable de cette réception.
Louis Secrétan possède, et de loin, la plus grosse pharmacie de Pontoise. C'est une affaire superbe qui trône
sur la place du Marché, qu'ils se transmettent de père
en fils et qui les a considérablement enrichis. Surtout
depuis qu'ils ont inventé le *Baume Lajoie*, qui soigne
tous les maux ou presque. Le père Secrétan est un de
ces notables influents qui font la pluie et le beau temps
dans la région, et il a décidé qu'un de ses deux rejetons
lui succéderait ; apparemment ils n'en prennent pas le
chemin, préoccupés qu'ils sont de s'amuser avec des
danseuses et des comédiennes, et de dépenser avec elles
la fortune que leur père amasse en fabriquant son
baume miracle et ses potions, mais ce dernier n'a pas
renoncé à en pousser un vers la faculté de pharmacie. Il
ne se fait guère de souci à ce propos, se souvenant que
lui-même n'avait nullement la vocation de devenir
potard et qu'elle lui est venue sur le tard, quand son
père lui a coupé les vivres.

Nos deux familles se fréquentent depuis toujours, et
nous sommes invités à déjeuner une ou deux fois l'an,
même si mon père ne rend jamais la politesse. L'idée
d'un rapprochement serait née quand Georges et moi
étions hauts comme trois pommes et que nous courions
après les boules des parties de croquet auxquelles les

adultes se livraient dans le parc de leur demeure. Je crois, mais je n'en suis pas sûre, que ma mère a été la première à y penser, le père Secrétan y avait fait allusion il y a longtemps mais, à chaque fois que j'ai posé la question, madame Secrétan a paru agacée et a parlé d'autre chose. C'est ainsi que ce rêve a prospéré, a pris possession de nos vies ; nous jouions notre rôle au sérieux, car cela nous grandissait avant l'heure et nous transformait en petits adultes. Il me prenait la main, ne la lâchait sous aucun prétexte, et quand il me déposait un baiser sur la joue, tout le monde riait et applaudissait. Après la disparition de ma mère, ce jeu fut notre manière de lui être fidèle et de nous la remémorer. Georges et moi avons un an de différence et avons poussé avec cette prédestination déposée sur nos têtes et à laquelle nous consentions sans comprendre ce qu'elle signifiait. J'ai pour lui une grande affection mais comme pour un cousin, et pas au point de l'épouser. Il est dans la même disposition. Il ne sait pas ce qu'il veut faire de sa vie, il hésite, répète qu'il n'a pas l'esprit de sérieux, il a une jolie voix et rêve d'art lyrique, prend des cours avec madame Laroche, qui le dit très doué. Mais ce dont il est convaincu, c'est qu'il a l'apothicairerie en horreur, il ne s'imagine pas une seconde poursuivre le commerce familial, encore moins travailler avec son père, et comme il ne veut pas l'affronter, il trouve maints prétextes pour éluder sa décision et pousse Jacques, son plus jeune frère qui semble avoir quelques dispositions, à faire des études dans ce sens.

Nous sommes partis en calèche en fin de matinée, il faisait une chaleur de mois d'août, les champs étaient déjà jaunes et la terre craquelée. Tout le chemin, mon père m'a fait la leçon pour que jamais je ne contrarie le père Secrétan, quoi qu'il dise, même si ses idées me heurtaient. Si cela était, je ne devais pas réagir mais hocher la tête et dire : *Oui, je vois*, ou : *Il faudra que j'y réfléchisse*, et surtout ne pas me mettre à discuter de politique, de philosophie, ou des affaires de Dieu. Il a insisté pour que je promette et, comme je n'avais nulle intention de polémiquer, j'ai promis. À ce train, il nous a fallu une bonne demi-heure pour gagner Pontoise. La propriété des Secrétan trône au bord de l'Oise, au milieu d'un parc digne du Paradou de l'abbé Mouret. Elle est dans un état remarquable, on la dirait comme neuve alors qu'elle a été construite au début du siècle, dans le style versaillais qui plaisait tant aux notables de l'Empire. Louis Secrétan vient d'y faire installer l'électricité, les travaux ont été coûteux mais le résultat est saisissant, il n'y a plus qu'à appuyer sur un bouton pour illuminer chaque pièce. Fini les lampes à pétrole, l'air vicié, les odeurs écœurantes et les risques d'incendie. Il a invité mon père à procéder à cette révolution domestique dans notre maison d'Auvers, ce dernier a répondu qu'il allait y réfléchir, mais il doit surtout se demander combien cela lui coûtera d'accéder à la modernité.

En attendant l'arrivée de tous ses invités, monsieur Secrétan n'a pas résisté au plaisir de nous présenter *sa petite folie* : le superbe jardin d'hiver, également touché par la grâce de la fée électricité, qu'il vient de faire accoler à l'aile sud et dont il tire une fierté immense. C'est en effet un ancien collaborateur d'Eiffel qui a dressé les plans de l'armature métallique et a veillé à sa réalisation. Il a expliqué à mon père et à mon frère les mille détails techniques des arcanes de l'assemblage, révélant avec satisfaction qu'il était un des premiers particuliers dans ce pays à s'être fait construire une verrière d'un seul tenant et avec des portants aussi fins.

Georges semblait soucieux et mal à l'aise, il m'a retenue à l'arrière du groupe et m'a prévenue, à voix basse, que son père avait posé un ultimatum pour qu'il commence ses études de pharmacie à la prochaine rentrée ; il ne pourrait plus échapper au diktat paternel. Si le tirage au sort lui était favorable, il n'aurait d'autre alternative que d'obéir ou d'être déshérité, ou pire, s'il tirait un mauvais numéro, il risquait de partir trois ans à l'armée d'Afrique. Il préférait la faculté, là-bas au moins, il s'exposait uniquement à mourir d'ennui.

– Qu'allons-nous faire ? a-t-il demandé d'un air perdu.

– Pour moi, pas question de mariage dans l'immédiat. Je veux d'abord être majeure.

– Cela me convient parfaitement. Arrivera-t-on à tenir si longtemps ?

– Tu devras choisir, Georges, ce sera ton père ou moi, mais tu ne pourras pas tout avoir, je te l'ai déjà dit, ma voie est tracée, je peux à la rigueur envisager d'épouser un artiste, mais une chose est sûre, je ne marierai pas un potard.

Le père Secrétan a insisté pour que je m'asseye à sa droite et, refaisant le plan de table sans tenir compte des dispositions prises par son épouse, il a exigé que mon père s'installe à sa gauche, se moquant de l'alternance homme/femme, ce n'était pas un repas mondain, n'est-ce pas ? Lorsqu'il fronçait le sourcil ou élevait un tant soit peu la voix, il émanait de lui une telle autorité que nul ne s'avisait de le contrarier. Il a levé son verre à ma santé et m'a félicitée à nouveau pour avoir réussi mon examen si brillamment, me donnant en exemple à l'assemblée. Il a félicité aussi mon père, comme si ce succès pouvait lui être attribué, lui qui ne m'a jamais aidée. J'incarnais à ses yeux le triomphe de l'école républicaine, ouverte au seul mérite et montrant l'exemple à suivre aux autres jeunes filles. Il a expédié Georges en bout de table, et comme madame Secrétan s'offusquait de voir sa table bouleversée, il l'a placée loin de lui, en punition, à côté de son fils. Je ne connais pas de couple plus dissemblable et désaccordé que ces deux-là. Elle, fille d'un nobliau désargenté, confite en bigoterie, ne ratant aucune confession et aucune messe, résignée à vivre son calvaire sur cette terre, se signant vingt fois par jour aux blasphèmes et saillies impies de son mari libre penseur, laïc frénétique et grand bouffeur de curés. Elle a dû boire le calice au-delà de la lie quand son mari, peu après leur mariage, a mis manu militari à la porte de chez lui l'abbé de Notre-Dame en lui interdisant de reparaître chez lui. Il ne s'est guère bonifié avec le temps, refusant même pour le décès de sa belle-mère de mettre les pieds à l'église, jurant que seuls les enterrements civils méritaient sa considération.

Le père Secrétan s'est montré si charmant et empressé que, pour un peu, j'aurais pu croire que c'était lui mon prétendant ; malgré sa cinquantaine avancée, il est gaillard encore, élégamment vêtu et soigneux de sa personne, avec des rouflaquettes qui lui prennent le menton, enjoué, tout à rebours de mon père que sa tenue négligée et son air flapi font paraître plus âgé. Le père Secrétan ne buvait que du saumur-champigny et, quand je lui ai demandé pourquoi, il m'a répondu que, pardi, c'était le meilleur vin du monde et qu'il provenait de sa vigne, qui lui donnait vingt mille bouteilles l'an, et comme il n'avait nul besoin de les vendre, il était obligé de les boire – il m'a fait remarquer l'étiquette grenat qui portait la mention « *Château Secrétan, propriétaire récoltant* ». Je ne manquai pas de m'extasier sur le goût fruité de son nectar, ce qui l'a ravi. Il a voulu me resservir mais j'ai fait une entorse aux prescriptions paternelles de ne pas le contrarier en réclamant un peu d'eau. Le père Secrétan bannissait ce breuvage de sa vue, sous le pré texte qu'il ne se lavait pas à table, mais il a accepté sans rechigner qu'on m'en verse un verre.

Le repas a été délicieux et abondant à l'extrême. Tout au long, Louis Secrétan m'a posé mille questions, revenant à la charge quand je ne répondais pas avec assez de précision ; ce que je faisais de mes journées, si je préférais la vie à Paris ou à la campagne, si j'aimais les enfants, combien je rêvais d'en avoir, et ce que je lisais. De son côté, il ne jurait que par le *Sublime*, notre grand-père à tous, avec qui il avait eu l'honneur et la fierté de s'entretenir longuement lors du congrès de la Libre Pensée de Genève, il tenait *La Légende des siècles* pour le plus grand livre jamais écrit et en lisait quelques strophes chaque soir avant de s'endormir et, bien qu'il la connaisse par cœur ou presque, il y découvrait en permanence des subtilités qui lui avaient échappé. Il m'a interrogé sur mes goûts littéraires et a paru satisfait quand j'eus affirmé mon inclination pour la littérature romantique, lui-même avait lu avec enthousiasme dans sa jeunesse l'œuvre de monsieur de Chateaubriand et regrettait qu'il soit passé de mode.

– Il passe pour un raseur, pourtant quelle grandeur d'âme, a-t-il poursuivi, les petits maîtres d'aujourd'hui se poussent du col mais ils ne lui arrivent pas à la cheville. Nous vivons dans une époque de pisse-copie et de feuilletonistes, plus aucun écrivain n'a de souffle ou de génie.

– Je l'ai lu avec le plus grand intérêt, ai-je précisé, mais depuis que j'ai découvert monsieur Heine, j'ai ressenti une telle communion avec lui, comme s'il avait écrit pour moi, sa poésie est d'une grande délicatesse et…

– Mais Heine est juif ! m'a-t-il interrompue en tapant du plat de la main sur la table. Comment peux-tu préférer les vers médiocres de ce youpin révolutionnaire à nos plus grands poètes ? Lis Lamartine, lis Musset, au moins c'est de la poésie. Je t'en conjure, Marguerite, si tu continues à lire ça, nous ne serons plus amis. Mon cher Paul, tu devrais surveiller les lectures de ta fille.

Monsieur Secrétan a fini son verre de saumur en deux gorgées et s'en est resservi un sur-le-champ ; mon père, de son côté, semblait sur le point de se décomposer, son visage était blême et ses yeux ronds comme des billes. Je me suis souvenue qu'une fois il avait vanté la grande amitié de monsieur Secrétan pour monsieur Zola et j'ai enchaîné en révélant ma passion pour *Les Rougon-Macquart*, cette précision a paru rassurer mon futur beau-père. Ce dernier a soupiré profondément, il avait bien connu Zola à une époque, mais le détestait aujourd'hui pour son apologie de la laideur, son naturalisme socialisant et ses fréquentations douteuses. En désespoir de cause, j'allais lui dire que j'avais également une grande admiration pour monsieur Flaubert quand il m'a sauvé la mise en me devançant, le traitant de gougnafier patenté, de gâte-papier plastronneur et de pire chieur d'encre de la littérature française, qui n'en manque pas cependant, a-t-il insisté, et je me suis gardée de lui demander la raison de sa détestation. Je m'en doutais.

Puis, tout à trac, il a voulu savoir ce que je désirais faire, maintenant que j'avais obtenu ce prestigieux diplôme. Je suis restée interdite, essayant de trouver un secours dans le regard de mon père, mais ses yeux m'évitaient. Louis Secrétan m'a fixée comme s'il lisait à travers moi, m'a souri d'un air satisfait, puis il s'est tourné vers mon père et lui a lancé :

– Paul, je viens d'avoir une grande idée, ta fille doit faire sa médecine. C'est une évidence, non ? Maintenant que les femmes peuvent devenir médecins, il faut en profiter. Les études ne sont pas si difficiles que ça. Qu'en penses-tu ?

Mon père a dodeliné de la tête, a murmuré une suite de *Euh...* qui traduisaient son enthousiasme. Secrétan s'est adressé à moi.

– Et toi, Marguerite, qu'en penses-tu ? Tu as toutes les qualités, tu t'installeras dans cette ville et je ferai ta clientèle.

– Moi, ce que je veux faire, c'est les Beaux-Arts.

– Ce n'est pas un métier, ça !

– Et puis, l'École des beaux-arts est interdite aux femmes, a murmuré mon père.

– Ah, tu vois, dit Secrétan. Non, médecine c'est mieux. Et quand Georges reprendra la pharmacie, vous travaillerez ensemble, tu te rends compte du rapport.

– Je suis désolée, ai-je eu le courage de rétorquer, moi je préfère entrer aux Beaux-Arts.

– Mais ton père te dit que les femmes n'y sont pas admises.

– Je veux être peintre.

Je m'attendais à ce que Louis Secrétan laisse éclater sa colère. J'avais osé le contrarier, et sur un point de la plus haute importance, mais loin de s'emporter et de me tancer, il a haussé les épaules.

– Eh bien tant pis pour toi, tu ne sais pas ce que tu perds, cela aurait fait une belle affaire.

Les conversations s'étaient arrêtées. Tout le monde considérait le père Secrétan qui réfléchissait, mais on ne savait pas à quoi. Il a fini son verre de saumur, a réfléchi encore, a demandé à la servante de le remplir, ce qu'elle a fait, il l'a levé puis l'a reposé et s'est tourné vers moi en fronçant les sourcils. J'ai cru qu'il allait me reprocher de m'être exprimée de façon inconsidérée, mais il m'a souri et m'a tapoté la main.

– Je ne connais pas grand-chose de toi, finalement, ma petite Marguerite. Tu es promise à mon imbécile de fils, et j'ai hâte que ce mariage se fasse, mais je me demande s'il te mérite. Il faudrait qu'il comprenne que la vie, ce n'est pas seulement faire la fête, il n'est pas bête, seulement flemmard comme une couleuvre, il ne pense qu'à chanter et à s'amuser et ne se souvient de mon existence que pour me soutirer de l'argent qu'il s'empresse de dilapider dans les cabarets de Montmartre. Mais cette mauvaise vie est terminée, tu peux me croire, je vais y veiller, il va rentrer dans le rang et suivre mes conseils ou alors tant pis pour lui, tu en marieras un autre. Il y a un détail qui pour moi est de la plus haute importance, et que tu dois connaître aujourd'hui, car il commande le reste. Si mariage il y a, ce sera uniquement à la mairie. Pas question de mettre les pieds chez les curés. Tu comprends ce que je dis ? Si tu rêves de grandes orgues et de bénédiction nuptiale, tu t'es trompée d'adresse, il te faudra en prendre un autre, jamais mes fils ne se marieront à l'église, jamais ! Et quand tu auras des enfants, ils auront l'honneur du seul baptême civil, et pas de ce sacrement chimérique, cette friponnerie historique. Il faut t'en persuader, ma chère enfant, la chrétienté est une imposture et ses cérémonies, des simagrées dignes des Pygmées, Dieu est le grand rien, et l'Église catholique une filouterie et la plus grande putain de tous les temps (madame Secrétan sembla défaillir et se signa deux fois), particulièrement douée, je te l'accorde, pour avoir réussi à imposer ses mensonges depuis si longtemps. Parle-moi avec franchise, y vois-tu un inconvénient ? Cela heurte-t-il tes convictions ?

– Vous me prenez au dépourvu. Je dois y réfléchir. Mais, vous-même, vous vous êtes marié à l'église et vos enfants ont été baptisés, je crois ?

Le père Secrétan a paru surpris de ma question, il est resté un long moment la bouche ouverte, faisant rouler le vin dans son verre. Nous avons cru qu'il allait s'exprimer sur ce sujet important et nous expliquer la raison de cette contradiction. Mais il a porté son verre à ses lèvres et l'a vidé d'un coup. Il s'est tourné vers mon père, lui a posé la main sur l'épaule.

– Tu ne bois pas, Paul, tu n'as presque rien mangé. Ce repas ne te plaît pas ?

– Mon cher Louis, j'ai perdu l'appétit.

– Tu as des soucis ?

– Depuis la liquidation de la Compagnie de Panama, j'espérais récupérer un petit quelque chose, mais les nouvelles sont mauvaises. On le sait aujourd'hui : les caisses sont vides. Mes économies se sont évanouies dans les sables mouvants de l'Amérique centrale.

– Je t'avais prévenu que c'était une affaire douteuse.

– Tu me l'as dit trop tard, le mal était fait. Moi, j'ai la chance d'avoir le revenu de mon cabinet, mais des dizaines de milliers d'honnêtes gens sont ruinés.

– Cet argent n'a pas été perdu pour tout le monde. Beaucoup de sénateurs et de députés sont compromis. Le scandale va être terrible et, cette fois, il ne sera pas étouffé.

*

Comme une majorité de leurs concitoyens, un nombre considérable de personnalités : Gustave Courbet, Edgar Degas, Auguste Renoir, Jules et Edmond de Goncourt, Auguste Rodin, Jules Verne, Guy de Maupassant, Ernest Renan, Jules Michelet, Stéphane Mallarmé, Maurice Barrès, Jean Jaurès, Alphonse Daudet, Maurice Denis,

Toulouse-Lautrec, Pierre Loti, etc. affichent ouvertement leur antisémitisme. En 1890, La Croix se proclame le journal catholique le plus anti-juif de France. Cette vague antisémite culminera avec l'affaire Dreyfus en 1895.

*

C'était la première fois que mon père en parlait ouvertement. Depuis un an, sa mélancolie habituelle s'était transformée en langueur, il se plongeait avec opiniâtreté dans la lecture des journaux qui consacraient des pages entières aux développements de cet épisode rocambolesque qui secouait la République, chaque jour apportant son lot de scandales et de nouvelles révélations sur la compromission de tel sénateur ou de tel député, ou sur les soupçons qui pesaient sur tel ministre. À l'en croire, ils étaient tous mouillés, tous vendus, se partageant entre coquins les centaines de millions de francs des malheureux épargnants, économies prétendument envolées dans les méandres du percement du sinistre canal. Cela, il n'y croyait pas une seconde. Ce n'était pas une mauvaise opération, c'était une escroquerie monumentale, la plus grande de tous les temps, organisée avec minutie, prévue de longue date, avec des ramifications internationales. Et lui, il tenait la page à poings fermés, la scrutant d'un air mauvais, comme s'il avait cherché à lire entre les lignes, à découvrir les secrets les mieux cachés du complot, qui l'avait trahi, qui se gobergeait avec ses sous, ce que les journalistes n'osaient révéler, convaincu qu'il allait trouver un moyen miraculeux de s'en sortir sans trop de casse et de récupérer une partie de son bien. Il était dépité, chaque jour un peu plus, autant de voir son argent lui échapper sans pouvoir rien faire pour le sauver que d'avoir été pris pour un dindon qu'on plume à loisir et qui découvre qu'il s'est fait avoir jusqu'au trognon. J'étais au courant qu'il avait investi dans cette entreprise, mais j'ignorais qu'il était pris à la gorge à ce point. Avec moi, il n'aborda jamais ce problème, cela ne me regardait pas. On ne parle pas aux enfants des affaires d'argent, encore moins à une fille qui n'y connaît rien. Qu'il l'évoque devant tout le monde, et surtout devant Secrétan, montrait à quel point il était touché. Mon père ne faisait rien par hasard, rien de manière innocente ou sans arrière-pensée. Pendant que Secrétan le consolait, promettant que le combat ne faisait que commencer et qu'il finirait bien par retrouver une partie de sa mise, jurant que plaie d'argent n'était pas mortelle et qu'il pouvait compter sur son amitié indéfectible, je compris où il voulait en venir et pourquoi il s'était plaint en public, exposant à la compassion de l'assemblée son visage pitoyable et sa mine déconfite. En procédant de la sorte, il s'attachait Secrétan, scellant le mariage à venir. Il savait que jamais je ne m'engagerais dans la voie de la médecine qui était promise à mon frère, en revanche il entendait bien récupérer par cette union la clientèle que Secrétan ne manquerait pas de lui adresser. Et compenser par cette rentrée d'argent la perte qu'il avait subie. Je lui servais de monnaie d'échange. Il me vendait au plus offrant, au mieux de ses intérêts. Secrétan l'avait consolé et mon père arbora une mine ragaillardie. Je me gardai bien de lui annoncer qu'il allait être déçu de son investissement une nouvelle fois.

*

Le scandale de Panama est le plus gros scandale financier de l'histoire de France. Plus de 800 000 personnes sont ruinées, l'équivalent de six milliards d'euros est perdu, et une centaine de parlementaires, hauts fonctionnaires et ministres sont compromis.

*

Après le repas, ces messieurs se sont installés sous la verrière, monsieur Secrétan ayant décidé que ce serait son nouveau fumoir, il a offert les havanes que son cousin Antoine avait rapportés de Cuba, mais l'air est devenu tellement irrespirable que j'ai été la première à fuir pour retrouver l'air libre, bientôt suivie par les autres femmes, les unes toussant, les autres ayant les yeux qui pleuraient et le nez qui rougissait. Les hommes ont voulu montrer leur courage et ont résisté jusqu'à ce que, les volutes de fumée de cigare s'accumulant, ils soient contraints de sortir un à un pour ne pas périr asphyxiés. Monsieur Secrétan a paru profondément fâché de constater que, malgré le prix extravagant qu'il avait payé, son ingénieur n'était qu'un incapable, qui n'avait pas prévu de trappe d'évacuation pour les fumées, et il a promis de lui faire un procès. Puis il a donné le signal du départ, et nous sommes partis à pied pour la mairie, la promenade s'avérant nécessaire après le plantureux repas. Pendant le chemin, j'ai remarqué que Georges et son père marchaient côte à côte et que ce dernier faisait des gestes énergiques de la main droite. Georges paraissait consterné et m'a jeté des coups d'œil désemparés.

Je me suis rapprochée du discret cousin Antoine et j'ai entrepris de l'interroger sur son séjour en Amérique. Il y était allé pour les besoins de son entreprise lyonnaise, étant négociant en soierie, broderie et passementerie. Il fut ravi de trouver quelqu'un qui s'intéresse à lui et à son commerce, et il ne s'est pas fait prier pour me donner maints détails précieux. Ce qu'il m'a raconté m'a consternée. Depuis Le Havre, le voyage durait une dizaine de jours, et d'après lui, il était impossible de voyager autrement qu'en première classe, ce qui lui avait coûté près de mille francs. J'ai été effarée de ce montant mais il m'a juré que cela les valait, à moins d'accepter de se faire rincer par les paquets de mer glacée, de risquer sa vie sur les marches visqueuses et de supporter la promiscuité, l'odeur détestable des toilettes, l'hygiène douteuse des couchettes sans confort, le vomi et les gémissements de la masse humaine, les risques de l'entrepont avec son vacarme infernal et les vibrations assommantes des machines, pour ne rien dire de la nourriture infecte, servie dans d'énormes marmites crasseuses. Et pour ces conditions ignobles, il fallait compter au moins trois cents francs. Cela m'a paru exorbitant mais je me suis efforcée de ne rien laisser paraître de mon trouble ; à coup sûr, vu l'état de mes finances, j'étais condamnée à l'entrepont nauséabond. Cette perspective m'a effrayée et je me suis demandé si j'aurais le courage et la force de résister à cette épreuve. Ce qu'il m'a décrit de la vie à New York était tout aussi décourageant : la ville était d'une laideur inouïe, grouillante de rats, répugnante à frémir et, à la tombée du jour, livrée aux exactions des voyous de toutes les nationalités. Le rebut de l'humanité s'y déversait à flots continus, et il ne fallait pas compter sur la police, aussi inutile que corrompue. Par contre, il avait été surpris de l'incroyable rapidité avec laquelle se traitaient les affaires, les commerçants et les gens de la bonne société achetant à tour de bras ; ce qui, ici, aurait demandé des mois de palabres et d'efforts se réglait là-bas en quelques jours. Arrivé devant l'entrée de la mairie de Pontoise, il m'a fixée d'un air soucieux, me demandant si j'avais l'intention de m'y rendre, il pensait que ce n'était pas un voyage pour une jeune fille de bonne famille et il a paru rassuré quand il m'a entendue affirmer que j'aimais plus que tout entendre parler d'aventures et de destinations lointaines.

*

Journal d'Edmond de Goncourt, 18 mai 1889

« *Avec Manet, dont les procédés sont empruntés à Goya, avec Manet et les peintres à sa suite, est morte la peinture à l'huile, c'est-à-dire la peinture à la jolie transparence ambrée et cristallisée, dont la femme au chapeau de paille de Rubens est le type. C'est maintenant de la peinture opaque, de la peinture mate, de la peinture plâtreuse, de la peinture ayant tous les caractères de la peinture à la colle. Et aujourd'hui tous peignent ainsi, depuis les grands jusqu'au dernier rapin de l'impressionnisme.* »

*

Le hall d'entrée de la mairie de Pontoise avait été transformé en lieu d'exposition pour le salon annuel de peinture, qui s'étalait aussi au premier étage dans les salles d'apparat, et la foule des dimanches se pressait pour admirer les toiles exposées. Les peintres se tenaient à proximité de leurs œuvres pour les commenter et recevoir les félicitations de leurs amis et des badauds. Il y avait une telle presse qu'il nous fut impossible de rester ensemble et que, l'un s'arrêtant devant un tableau, l'autre rencontrant une connaissance, notre groupe se disloqua, chacun allant au gré de ses envies.

Les Pontoisiens affirmaient avec fierté que leur salon de peinture était comparable, et même supérieur, aux plus renommés des salons parisiens par le nombre et la qualité des exposants. Fidèle à son conservatisme artistique revendiqué, il étalait, avec une constance affligeante, le plus grand nombre de toiles hideuses qui se puisse réunir au mètre carré, à croire que tous les barbouilleurs, à des lieues à la ronde, s'étaient donné le mot pour y envoyer le pire de leur production. C'était à vomir et en grand format, des ruines romaines à foison, des grenadiers de l'Empire se faisant tirer les moustaches, des retraites de Russie, des scènes bibliques, des allégories mollassonnes et délavées, des marines qui tardaient à couler, des têtes pouponnes, des paysans résignés, des harems supposés lascifs et des barbouillages orientalistes qui auraient fait se retourner Delacroix dans sa tombe. Partout où le regard se posait, ce n'étaient que descriptions académiques et croûtes exécrables, où il n'y avait aucune vibration, aucun ressenti, et c'était navrant de voir ces regards qui se pâmaient devant ces horreurs, d'entendre ces voix qui s'extasiaient sur ces couleurs ternes, ces traits soulignés, cette pseudo-grandeur historique et ces badigeonnages champêtres dépourvus de toute vie. On se serait cru à un concours de laideur. J'aperçus monsieur Secrétan, entouré de deux amis, qui négociait âprement une course de chars romains d'un réalisme redoutable. Georges se tenait derrière son père et, quand il me vit, il se précipita vers moi, l'air tendu et les yeux inquiets.

– Il y a urgence à ce que nous nous voyions rapidement, Marguerite, nous devons parler, mon père m'accable, mais je viens d'avoir une idée pour laquelle il me faut ton avis.

– Chez Hélène, veux-tu ? Je déjeune avec elle tous les mercredis.

*

Le Charivari

« *MM. Claude Monet et Cézanne, heureux de se produire, ont exposé le premier trente toiles, le second quatorze… Elles provoquent le rire et sont cependant lamentables. Elles dénotent la plus profonde ignorance du dessin, de la composition, du coloris. Quand les enfants s'amusent avec du papier, ils font mieux.* »

*

Je montai l'escalier d'honneur encombré d'une foule d'amateurs et, dans un petit salon, j'aperçus mon père en pleine conversation avec monsieur Pissarro, qui dénotait parmi les autres exposants avec sa blouse blanche, ses cheveux broussailleux et sa barbe touffue.

Il habitait dans les environs et mon père lui avait échangé quelques toiles par le passé, en contrepartie de ses consultations. Pissarro reniflait et avait les larmes aux yeux, qu'il essuyait d'un mouchoir taché de peinture. Je les rejoignis, il me salua d'un infime sourire, sans s'interrompre :

– Si on me l'avait dit, jamais je n'y aurais cru. Degas, oui, c'est un furieux, un être immonde, mais Renoir, ce n'est pas possible !

– Il ne faut pas vous mettre martel en tête, il ne pensait pas à mal, répondit mon père.

– Comment pouvez-vous dire une chose pareille ? Renoir, un ami de vingt ans, déclare qu'il refuse désormais d'exposer avec moi, car il s'estimerait souillé de continuer à fréquenter l'israélite Pissarro, et je ne dois pas réagir ?

– Il a dit cela sans y penser.

– Mais c'est odieux.

– Vous connaissez Renoir comme moi, c'est un brave homme, la prochaine fois que vous le croiserez, il vous tombera dans les bras.

– Vous croyez ?

– Ce sont des choses qu'on lance en l'air dans une discussion, sans penser à mal, mais tout le monde a des amis juifs. Surtout dans ce milieu. Même Degas, j'en suis sûr. Vous pensez qu'il a arrêté de vendre ses tableaux à des juifs ? Ça m'étonnerait. Vous verrez, dans huit jours, Renoir n'y pensera plus et vous non plus.

– Je ne supporte plus cette injustice, moi je suis juif et pauvre. Personne ne m'achète de toiles, aucun de mes coreligionnaires ne me fait de cadeau parce que je suis juif, je crève dans mon coin.

Sa condition empirait chaque mois un peu plus, ses toiles s'entassant dans son atelier, pourtant ce n'étaient pas les acheteurs qui manquaient. Ses voisins qui proposaient des bondieuseries extatiques ou morbides les avaient vendues sans marchandage, et lui restait avec ses pommiers en fleur inondés de lumière sur les bras, ses toits rouges en suspens et ses châtaigniers frémissant sous la neige, ses paysages incertains de Louveciennes, même ses vues fragiles de Pontoise ne trouvaient pas preneur, les autochtones n'en voulaient pas, même en les bradant au prix du cadre et des pigments. Il devait subir les réflexions désobligeantes, les ricanements, les sarcasmes, il était désespéré, et plein de colère, avec l'envie de poser une bombe, de faire tout péter, de brûler cette mairie, repère de la bêtise la plus crasse. Il voulait tout plaquer, lassé de ne pas voir la fin de son combat et écœuré par la stupidité de ses contemporains. Mon père entreprit de lui remonter le moral, il lui dit que sa peinture était magnifique, que c'était un bonheur de l'admirer, un honneur aussi, qu'un jour elle serait reconnue et célébrée, il insista sur l'originalité de son talent et ne fut pas avare de compliments. Ses mots de réconfort lui remontèrent le moral et il remercia mon père de son soutien. Ce dernier était navré que sa situation financière actuelle l'empêche de lui acheter cette toile du marché de Pontoise qui le ravissait, mais l'époque était difficile pour tous. À son hochement de tête répété et à son sourire désabusé, mon père vit bien que le peintre n'en croyait pas une miette.

– Cher docteur Gachet, poursuivit-il, vous pourriez me rendre un immense service, j'ai un ami, un jeune peintre que j'apprécie beaucoup, un artiste d'exception même. Il doit bientôt quitter l'hôpital de Saint-Rémy de Provence où il se trouve, il voulait venir chez moi pour que nous travaillions ensemble, il a proposé que je le prenne en pension, mais mon épouse ne veut pas en entendre parler, il est un peu troublé, elle redoute ses accès d'humeur et ses emportements passagers. Il a exposé deux toiles l'année dernière aux Indépendants et vous n'avez pas pu ne pas remarquer *La Nuit étoilée,* une œuvre inouïe, une des plus belles toiles qui se puisse peindre. Le frère de ce peintre est mon marchand et, même s'il ne vend rien, j'ai une grande estime pour les deux frères et voudrais leur rendre service, ce serait une belle action de vous occuper de lui et de veiller à son rétablissement.

– Je ne consulte pas à Auvers.

– Dans son état, la ville ne convient pas, il a besoin de campagne et d'air frais. Hiver comme été, il ne peint qu'en extérieur, la région a de quoi le séduire, il pourrait s'installer à Auvers, et vous vous occuperiez de lui. Cela ne serait pas une grande charge.

Mon père n'aimait pas qu'on vienne bouleverser ses

habitudes mais il pouvait difficilement rejeter cette demande de Pissarro, surtout après avoir refusé de lui acheter une toile.

– Dites à votre marchand qu'il vienne me voir à mon cabinet parisien et nous verrons quel meilleur traitement pourra convenir à son frère.

*

Lettre de Théo à Vincent, 4 octobre 1889

« … *Pissarro m'a dit que chez lui, ce n'était pas possible, mais qu'il connaît quelqu'un à Auvers qui est médecin et fait de la peinture dans ces moments perdus. Il me dit que c'est un homme qui a été en rapport avec tous les impressionnistes.* »

*

Mon père s'éloigna pour admirer d'autres cimaises, me laissant seule avec Pissarro. Je restai un long moment à admirer son tableau du marché de Pontoise, qui semblait vivant et palpitant, comme empli d'une émotion humaine.

– Si je le pouvais, j'achèterais tous vos tableaux.

– Je sais bien, ma petite Marguerite, toi au moins tu dis la vérité.

– J'essaye de peindre comme vous m'avez suggéré, je

m'acharne, pourtant je n'y arrive pas. Ma brosse pèse une tonne. Je ne peins que des horreurs, qui mériteraient d'être exposées ici. J'excelle à copier, mais par moi-même je n'existe pas. Accepteriez-vous de me conseiller ? J'ai besoin d'un maître qui me guide et me pousse dans la bonne direction. Je vous en prie, laissez-moi venir travailler dans votre atelier. Je ne vous dérangerai pas.

– Malheureusement, je ne veux plus d'élèves. Je n'en ai ni le temps, ni l'envie, ni la force. Il faut que tu persévères. Continue encore et encore, tant que tu n'as pas de crampes dans les doigts, c'est que tu n'es pas un bon peintre, et peu importe si tu échoues, recommence et un jour, tout d'un coup, ça viendra. Et puis sors de chez toi ! Va dans ton jardin, dans la rue, et travaille sans te préoccuper du cadre, de la lumière ou des couleurs, et je te l'ai déjà dit, ne peins pas ce que tu vois mais ce que tu ressens. Et si tu ne ressens rien, ne peins pas.

*

*Lettre du docteur Gachet à Meunier, dit Murer,
22 octobre 1877*

« *Pissarro voulait crever le tableau dont vous parlez, si toutefois c'est bien celui-là. Grâce à moi, il a échappé au naufrage. Il ne me serait jamais venu à l'esprit que Pissarro voulait en faire un paiement... je suis fixé maintenant, bien fixé, et je désire ne plus jamais entendre parler de cette juiverie. »*

*

Ce mercredi, quand je suis arrivée chez elle, Hélène ne voulut pas prendre la pose comme à son habitude. Elle tenait mon carnet de dessin à la main et semblait excitée, son visage paraissait illuminé, elle tenait à m'annoncer une nouvelle qui ne pouvait être révélée si elle était allongée d'une façon romantique sur le sofa de son salon. Nous trouvâmes refuge dans le jardin, elle dit juste : *Je suis si heureuse, tu ne peux pas savoir*, et malgré sa fébrilité, je dus attendre que le thé nous soit servi pour qu'elle consente à s'exprimer.

– J'ai trouvé la solution, dit-elle, après avoir soufflé sur son thé brûlant. J'ai bien compris que tu refusais que je te donne de l'argent pour ton voyage en Amérique. Et cette fierté est tout à ton honneur. Par contre, rien ne m'interdit d'acheter les dessins que tu as faits de moi. Je me suis renseignée chez le marchand de couleurs de Pontoise, avec la plus grande discrétion bien sûr, car il en a de jolis encadrés en vitrine. Une sanguine, quand elle n'est pas de la main d'un portraitiste renommé, ce qui est ton cas, se paie trente francs. Je vais donc acheter tes dessins : ce carnet avec ses dix-huit dessins, et ceux qui viendront derrière. Ce sera une joie immense pour moi. Comme cela, ce ne sera pas un cadeau de ma part. Qu'en penses-tu ? Ce n'est pas une bonne idée ?

Je suis restée sans voix, essayant d'imaginer les conséquences de ce qu'elle me proposait. Je lui ai pris le carnet des mains et l'ai feuilleté. Je n'ai pas compté les dessins. C'était une proposition honnête, et qui avait le mérite de résoudre bien des problèmes concernant le financement de mon futur voyage. Après tout, pourquoi pas ? Elle était riche, moi pas. C'était peu de chose pour elle. Une transaction, comme en font les peintres avec leurs clients. Un arrangement qui convient aux deux parties. Sauf que je n'étais pas peintre et qu'Hélène n'était pas un collectionneur habituel. J'étais indécise, partagée, et ce qui m'a décidée, ce fut son sourire.

– Non, Hélène, je ne crois pas que ce soit une bonne idée.

– Pour quelle raison ?

– Parce qu'il n'a jamais été question d'argent entre nous. Tu n'es pas une cliente. Si tu aimes un dessin au point de vouloir le conserver, je te le donne volontiers, mais de là à t'en vendre dix-huit, c'est ridicule. Ce n'est qu'une manière déguisée de me faire l'aumône.

– Tu es bien compliquée, Marguerite. Qu'est-ce que cela peut faire, si tu obtiens ainsi l'argent qui t'est indispensable pour accomplir ton projet ?

– Je n'ai pas besoin de ta pitié !

– Que vas-tu penser ! Je suis simplement convaincue de ton talent et que tu es une grande artiste, un jour tes toiles seront admirées par tous, on se battra pour les acquérir, on les verra dans les plus grands musées, tu dois te consacrer totalement à ton art, trouver les maîtres qui te feront progresser et si, dans notre pays, c'est impossible, peut-être que dans le Nouveau Monde, le sort te sera meilleur. Je veux être la première à reconnaître ton art et, crois-moi, c'est moi qui fais une bonne affaire.

Hélène n'est pas seulement mon amie de cœur, elle est aussi le seul être sur cette terre qui croie en moi et m'encourage à persévérer dans cette voie. Elle soutient qu'avec l'âge, je finirai par me révéler de façon éclatante, que mes dons seront enfin reconnus et que je pourrai alors revenir chez moi pour y tenir la place que je mérite. Son enthousiasme m'émut, sans que je puisse dire si c'était cette reconnaissance sincère qui me troublait ou l'argent qu'elle me promettait et qui me permettrait d'accomplir mon rêve.

– Ces dessins, si tu les aimes, je te les donne, mais personne ne me fera la charité !

– Pourquoi ? s'exclama-t-elle.

Je n'eus pas à lui répondre car Georges arriva soudain. Il paraissait nerveux, les cheveux en désordre et la lavallière de travers. Il jeta sa cape sur la banquette en osier, Hélène lui offrit un thé mais il refusa sèchement, elle lui proposa un doigt de madère, s'il préférait une boisson plus forte.

– Peux-tu nous laisser seuls, demanda-t-il, nous avons à discuter avec Marguerite.

Hélène se leva, sans se départir de son sourire et sans le prendre mal.

– Je comprends, fit-elle.

– Reste, je t'en prie, dis-je. Hélène est ma meilleure amie, et je n'ai pas de secrets pour elle.

J'espérais par ce geste me faire pardonner d'avoir refusé sa main tendue et, me doutant de la raison de l'agitation de Georges, je ne voulais pas rester en tête à tête avec lui. Georges ne parut pas autrement gêné. Hélène nous laissa et, pendant son absence, nous demeurâmes silencieux. Elle revint avec une carafe de vin de madère posée sur un plateau en argent et trois verres à pied, qu'elle remplit et tendit à chacun. Georges vida le sien d'un trait, comme pour se donner du courage.

– Après le déjeuner, commença Georges, quand vous étiez dans le jardin, mon père m'a informé qu'il venait de prendre sa décision. Ou nous nous marions et je commence mes études de pharmacie en septembre, ou il me coupe les vivres et me met à la porte de la maison. Je lui ai objecté que tu n'avais pas donné ta réponse. Il m'a répondu qu'il en avait discuté avec ton père, que ce dernier était d'accord à condition qu'il n'y ait pas de dot, ce que mon père a accepté, et qu'il n'y avait donc plus de raisons de tergiverser. Voilà.

– Voilà quoi ? demandai-je.

– Nous sommes dans l'obligation de nous marier.

– Voyons, Georges, il n'en est pas question. J'ai mon mot à dire, et c'est non.

– Moi non plus, je n'en ai pas envie, mais comment faire autrement ? Ou ce sera la catastrophe, nous allons au-devant des pires ennuis.

– Toi probablement. Pour moi, rien ne changera. Ma vie ne peut pas être plus pénible que celle que j'ai déjà.

– Écoute, Marguerite, il y a une solution. Nous pouvons faire semblant de céder, d'accepter l'ultimatum, on se marie pour être tranquilles. Ce sera pour du beurre. Uniquement pour avoir la paix et un délai. Si tu veux, nous ferons chambre à part.

– Tu plaisantes ?

– Je suis très sérieux. Tu seras libre de faire ce que tu veux. Comme moi. Nous sommes juste deux amis, que les circonstances et leurs familles contraignent à employer des moyens de défense particuliers. De sur-vie. Nous divorcerons dès que cela sera possible. Je prendrai tous les torts et les frais à ma charge. Je m'y engage devant Hélène.

– Je ne me marierai pas avec toi. Ni avec personne, d'ailleurs. Je ne serai jamais la propriété d'un homme. Je n'ai pas l'intention de changer de prison.

– Tu seras plus libre, au contraire. Tu n'auras plus à supporter ton père, et moi, tu ne me verras pas beau-coup. Il faudra déjeuner chez mon père le dimanche, et de temps en temps faire acte de présence aux réunions de famille pour sauvegarder les apparences. Sinon, tu pourras faire ce qui te chante. Dis-lui, Hélène, que c'est une bonne idée et qu'elle ne prend aucun risque.

– C'est vrai, observa Hélène, si vous ne vous mariez pas à l'église, cela ne vous engage pas plus que cela.

– Tu pourras peindre et dessiner à loisir, poursuivit Georges, je te paierai tous les professeurs que tu voudras. Et, je le jure, tu ne manqueras de rien. Je t'en prie, ne dis pas non, réfléchis tranquillement, et tu verras que c'est la solution idéale pour nous deux.

Georges me sourit, enfin il essaya, le mouvement de ses lèvres traduisait son malaise et finit en rictus. Il remit de l'ordre dans ses cheveux, se leva, attrapa sa cape et s'éloigna rapidement.

– Il me fait pitié, dis-je à Hélène. Mais c'est du chantage, je ne veux pas céder.

– Pourtant, si tu épouses Georges, tu ne t'en tires pas trop mal, non ?

– Tu trouves !

– Et puis, as-tu le choix ? Comment vas-tu résister ?

– Je ne sais pas, dans ce pays, il n'y a rien de pire que d'être une femme.

*

La Lanterne (quotidien radical-socialiste lu par Vincent)

« *La banqueroute serait aux portes du Vatican et nous en croyons les détails navrants que publient les journaux italiens sur la situation des finances papales. Le budget dressé pour 1891 se solderait par un déficit de*

200 000 francs, dû a la diminution continue du denier de Saint-Pierre. Le commerce des titres de noblesse, des indulgences, des médailles... aurait subi une baisse considérable. Nous sommes tranquilles sur le sort de Léon XIII; il est probable qu'il n'en sera pas réduit à s'établir sur le pont des Arts, une sébile à la main, et un chien à côté de lui, à l'instar de l'aveugle légendaire.»

*

J'ai entendu sonner la cloche du porche du jardin. Louise est sortie de la maison pour aller ouvrir. Qui donc pouvait venir à cette heure? Par la fenêtre, dissimulée derrière les plis du rideau, j'ai aperçu madame Secrétan qui pénétrait dans notre jardin et suivait Louise jusqu'à notre demeure. Ce n'était pas une visite de politesse. Madame Secrétan ne passait pas par hasard, ni pour faire mieux connaissance avec sa future belle-fille, elle venait pour vider son sac, et elle savait que nous serions seules. Elle n'a pas souhaité se débarrasser de son manteau, ni enlever ses gants, ni ôter sa capeline. Elle a seulement relevé sa voilette. Elle ne m'a pas accordé le moindre sourire, pas demandé si j'allais bien et ne s'est pas crue obligée de formuler les banalités habituelles des rencontres. Nous nous sommes assises dans le salon, dans deux fauteuils voisins, elle a interrompu Louise dans son geste quand celle-ci s'apprêtait à éclaircir les rideaux, madame Secrétan a prétexté avoir

les yeux fatigués pour lui enjoindre de ne pas les ouvrir.
Elle a refusé d'un mouvement de tête la tasse de thé,
puis une orangeade, que je lui proposais, et a attendu
que Louise ressorte, elle a tendu l'oreille et, comme elle,
j'ai entendu les pas de Louise décroître dans le couloir et
la porte de la cuisine qui se refermait sur elle. Madame
Secrétan restait muette, je ne lui ai pas demandé ce
qu'elle voulait, j'ai attendu. Ce n'était pas un de ces
silences gênants comme il s'en installe parfois entre
deux personnes qui ne savent pas quoi se dire. Je devinais sans peine ce qu'elle venait me déclarer, je me gardai de lui révéler que je me fichais de son aîné comme
d'une guigne et n'espérais qu'une seule chose de la vie :
ne pas avoir à épouser son dadais. Je me calai dans mon
fauteuil, attendant qu'elle prenne la parole. Au bout de
deux minutes, elle a fini par s'exprimer, d'une voix
calme, presque amicale :
– Marguerite, j'ai trop tardé pour m'ouvrir à toi de ce
projet de mariage, je savais depuis toujours que cette
explication serait inéluctable, mais je la redoutais tellement, et tu ne peux imaginer ce qu'il m'a fallu de courage pour venir te trouver. J'ai pour toi la plus grande
affection, j'aurais été si heureuse que tu deviennes ma
fille, nous aurions pu être de vraies amies. Comme tu as
pu le remarquer lors de notre déjeuner, pour mon
époux l'affaire est entendue, il pense qu'il s'agit uniquement d'une question de temps, afin que Georges rentre
dans le rang, fasse des études et puisse un jour reprendre

la pharmacie. Je connais mon fils, il ne suivra pas ce dessein. Si j'ai une certitude, c'est qu'il ne te mérite pas, c'est un cossard qui ne fera rien de bon dans sa vie, il n'a aucun sens des responsabilités qui incombent à un mari et à un père de famille. Mais ce n'est pas lui l'objet de ma visite. Ce mariage est impossible et il ne se fera pas, et je devais t'en aviser pour t'éviter une désillusion que tu ne mérites pas. Il y a quelque chose de grave qui empêche ce mariage de se réaliser, qui est plus important que nous et qui commande à nos actes et à nos consciences. Vois-tu, cette alliance ne peut se faire parce qu'elle a déjà été célébrée. Oui, célébrée, il y a seize ans déjà. Je lis la surprise sur ton visage, l'incrédulité, et ce sourire aussi. Je tremble de honte car le souvenir de cette journée funeste revient me tourmenter. Nous étions jeunes et insouciants, et stupides, mais je ne cherche pas d'excuse. Nous n'avions rien prévu, rien décidé. Avec tes parents, nous nous voyions alors très souvent, nous étions les meilleurs amis du monde. Ton père fut témoin à notre mariage, et Louis à celui de tes parents. Et nos unions furent bénies par des enfants bien portants. Très vite, Georges et toi êtes devenus inséparables, avant même de savoir vous exprimer, c'était un bonheur de vous voir vous tenir par la main, et il fut évident pour nous tous que votre entente se poursuivrait et scellerait le destin de nos deux familles. Jusqu'à ce jour de juillet, vous deviez avoir trois et quatre ans, vous jouiez ensemble et nous évoquions l'avenir quand ta mère s'est

écriée : *Oh, marions-les !* Probablement avions-nous
trop bu, ce vin de Saumur est si léger qu'il se boit
comme de l'eau, nous étions gais comme jamais nous ne
l'avions été, un tourbillon de folie s'est emparé de nous.
Cette idée, cette bêtise, s'est propagée et aucun d'entre
nous n'a protesté, personne n'a eu la présence d'esprit
de dire que c'était une monstruosité. Au contraire, en
moins de temps qu'il n'en faut pour le dire, Louis et ton
père avaient dressé un autel, l'un ravi de singer un de
ces curés qu'il déteste tant, l'autre contrefaisant un
bedeau ahuri, et vous deux, enchantés de ce divertisse-
ment auquel vous ne compreniez rien, vous avez joué
aux futurs mariés avec une confiance aveugle, un réalisme qui renforça notre conviction qu'il s'agissait d'une
plaisanterie. Louis se lança dans une messe d'épousailles
en latin, au début en pouffant, puis il se fit sérieux, sa
voix devint profonde, il posa un foulard de soie dorée
sur ses épaules en guise de chasuble, attrapa ce qui lui
tombait sous la main, un vase fit office de ciboire, un
petit miroir servit d'ostensoir et, quand il agita la clo-
chette qui servait à appeler la bonne, nous nous age-
nouillâmes. Il nous bénit avec grâce et, à cet instant,
nous fûmes saisis d'effroi, comme si d'avoir transgressé
ce sacrement divin allait entraîner un châtiment immédiat, le temps était comme suspendu, je ressentis un
frisson, ta mère me prit la main et la serra avec une force
insoupçonnée. Était-ce Louis qui se révélait un comé-
dien plus vrai que nature dans ce mauvais rôle, était-ce

nous qui étions devenus fous, ou vous deux qui vous prêtiez à cette mascarade avec conviction ? Toujours est-il qu'il vous unit ce jour-là, vous demandant tour à tour si, devant Dieu, Georges te voulait comme épouse et si tu l'acceptais comme mari. Nous n'avons pas eu besoin de vous souffler la réponse, vous avez dit oui. Avec assurance. Avec détermination. Et, au terme de cette supercherie vous vous êtes embrassés. Comme mari et femme. Dans l'hilarité générale. Et nous avons applaudi, inconscients que nous étions. Je fus la seule à reprendre mes esprits, et quand j'attirai leur attention sur l'indécence de notre comportement, je subis les reproches hargneux de Louis et de tes parents, qui m'accusèrent de gâcher leur plaisir, d'être une rabat-joie et une insupportable grenouille de bénitier. Deux mois plus tard, ta mère fut frappée de la maladie terrible qui l'emporta si vite. Nous n'en avons pas parlé mais ton père sait, comme moi, qu'il s'agit de la sanction reçue en punition du blasphème commis. Depuis, chaque jour, je supplie notre créateur de me pardonner cet égarement, je ressens une telle culpabilité d'avoir participé à ce méfait, d'avoir été lâche et de n'avoir rien fait pour empêcher ce sacrilège. Moi, au moins, je ne nie pas ma faute, j'y ai toute ma part, mais je suis la seule à avoir pris conscience de l'ignominie de notre acte. Il m'a fallu longtemps pour oser l'avouer en confession, et le prêtre en fut horrifié. Il n'avait, de toute sa vie, entendu pareille abomination, il ne connaissait pas de pénitence pour l'absolution de ce péché sans pareil. Je ne te dirai pas quelle fut celle-ci, car cela ne te regarde pas. Cette affaire remonta très haut dans la hiérarchie, et une des conditions mises pour que je puisse retrouver la communauté des fidèles est que ce mariage n'ait pas lieu. Voilà pourquoi vous ne pouvez persévérer dans cette voie, et que tout avenir vous est interdit. À cause de la profanation que nous avons commise. Parce qu'il est impossible de bafouer deux fois le Seigneur, de se moquer de Sa parole et de Ses sacrements, sauf à risquer Son courroux, et que vous et votre descendance soyez maudits à jamais.

Elle n'a pas demandé si j'étais d'accord ou si j'avais une question à poser, elle s'est levée, a rabattu sa voilette et elle est sortie, sans un bruit. J'étais écrasée par cette révélation, je n'ai pas entendu les portes s'ouvrir ou se fermer. Je ne sais combien de temps je suis restée ainsi, tétanisée. Quand je suis sortie de ma torpeur, il faisait nuit. J'ai cherché au fond de ma mémoire à retrouver ces souvenirs disparus, mais j'ai eu beau fouiller dans le lointain de mon esprit, me concentrer à en avoir mal aux tempes, je n'avais en tête que les images suscitées par cette vieille bigote. Et puis, soudain, mon ventre commença à s'agiter, ma poitrine tressauta, je fus prise d'un fou rire nerveux qui me secoua sans que je puisse le réprimer et qui me fit venir les larmes aux yeux. Et après son départ, chaque fois que je pensais à madame Secrétan, une irrépressible envie de rire me prenait.

*

Journal d'Edmond de Goncourt, 22 janvier 1889

« *Un moment avec Zola je cause de notre vie donnée aux lettres, donnée peut-être comme elle n'a été donnée par personne, à aucune époque, et nous nous avouons que nous avons été de vrais martyrs de la littérature, peut-être des foutues bêtes. Et Zola me confesse qu'en cette année, où il touche presque à la cinquantaine, il est repris d'un regain de vie, d'un désir de jouissances matérielles, et s'interrompant soudain : "Oui, je ne vois pas passer une jeune fille comme celle-ci, sans me dire : Ça ne vaut-il pas mieux qu'un livre !"* »

*

Donc, je suis maudite. Une malédiction céleste, quelque chose d'implacable. Le doigt de Dieu à jamais pointé au-dessus de ma pauvre tête. Par la faute de mon père et par celle de ma mère. Une faute quasiment biblique, qui se transmettra à ma descendance jusqu'à la trentième génération. Un péché qu'aucun châtiment ne pourra réparer et qu'il me faudra expier jusqu'à mon dernier souffle, sans que je puisse rien faire pour être pardonnée. Tant mieux pour moi, je n'en espérais pas tant. Comment cette folle peut-elle croire, de nos jours, de pareilles balivernes, comment ose-t-elle venir me l'annoncer en face, sans rougir, sans trembler de honte ? En parlerai-je à mon père ? Le moment venu peut-être. Pour voir s'il s'en souvient, s'il se sent coupable, si sa mauvaise conscience vient le réveiller la nuit, ou s'il s'est endormi dessus. Lui faire croire qu'à cause de son inconséquence, je suis privée d'un beau mariage. Oui, ce sera amusant de le titiller avec cette vieille histoire.

*

Lettre de Théo à Vincent, 29 mars 1890

« ... *J'ai rencontré ce médecin dont m'avait parlé Pissarro... Il me disait quand je lui racontais comment se produisaient tes crises, qu'il ne croyait pas que cela avait quelque chose à faire avec la folie et que si c'était ce qu'il croyait, il répondait qu'il te guérirait, mais qu'il avait besoin de te voir et de causer avec toi pour se prononcer avec plus de sûreté.* »

*

Je suis la maîtresse du bois de Chaponval où j'aime me réfugier pour dessiner et, sur la butte, du haut de mon royaume, je vois sans être vue, mais pas une âme ne se risque dehors, sous ce soleil de trique qui dessèche les blés. Les bêtes se terrent, les corbeaux se taisent et les pies ont disparu depuis longtemps. Sur cette terre étouffée, les villageois comme les insectes attendent, sans bouger, sans respirer, priant que les nuages lointains daignent nous considérer. Ici, sous les frondaisons des vieux chênes et des aulnes dentelés, subsiste un souvenir de fraîcheur. Et c'est de mon perchoir, au milieu de ce maudit mois de mai, que je l'aperçois, il se déhanche d'un pas de promenade sur le chemin qui vient de Pontoise, comme s'il avait l'éternité devant lui, son chapeau en feutre enfoncé sur l'arrière de son crâne. Il pénètre de dix pas dans le champ de blé meurtri. Il se met à genoux, la tête enfouie dans les épis courts et secs, il reste un moment dans cette curieuse position, puis il se redresse et sa main caresse la surface des tiges comme si c'était une étole de soie. Avec son chapeau, il ressemble à un de ces journaliers pauvrement vêtus qui vont de ferme en ferme quémander un peu de besogne contre une assiette de soupe et un bout de fromage. Il lève les yeux vers la butte, je crains qu'il ne vienne chercher de l'ombre dans la chênaie, mais il reprend sa route vers Auvers, sans se presser, et après le coude de la rivière, il disparaît à mon regard.

*

*Mémoires de Johanna Bonger, épouse de Théo,
relatant l'arrivée de Vincent en provenance de Saint-Rémy,
samedi 17 mai 1890*

«... Je m'étais attendue à voir un malade... et devant moi se trouvait un homme solide, large d'épaules, avec une mine bien portante, une expression gaie et quelque chose de résolu dans l'aspect... et ma première impression fut : il se porte comme un charme ; il a l'air beaucoup plus robuste que Théo...

... Il sortit acheter des olives vertes, et voulut que tout le monde en goûtât, comme il le faisait lui-même tous les jours en Provence. »

*

Chez nous, le mardi est jour de grande lessive, et Louise s'active dès le matin dans la buanderie, mais, en ce mois de mai, la chaleur est si pénible qu'elle a sorti l'énorme lessiveuse dans le jardin. Celle-ci est si lourde qu'il lui est impossible de la déplacer, et je suis la seule à l'aider, mon frère étant pensionnaire en son lycée ; quant à mon père, jamais il n'imaginerait une seconde participer à une tâche ménagère. Lui, comme à son habitude, il traîne, sans rien faire d'autre que pousser des soupirs appuyés qui traduisent à peine son ennui profond, regarde sa montre toutes les cinq minutes, navré que le temps passe si lentement, erre d'un pas nonchalant du salon à la cuisine, fait un tour dans son bureau, en ressort aussitôt, examine avec attention les buis taillés ou considère les circonvolutions du cyclamen autour de la grille, il s'installe à l'ombre du saule pour lire son journal puis s'évente avec et va se réfugier au frais de son atelier. J'ignore pourquoi il n'a pas accompagné mon frère dimanche soir à Paris. Louise me demande de venir à sa rescousse pour ramener la lessiveuse fumante dans la buanderie et la vider, quand la cloche de l'entrée se met à tinter.

– Veux-tu bien y aller, Marguerite, dit Louise, je ne suis pas présentable.

En ouvrant, je reconnais le journalier que j'ai aperçu en fin de matinée sur la route de Pontoise. Il est robuste, souriant, vêtu d'une veste en coutil bleu, d'une chemise blanche qui sort de son pantalon. Il tient son chapeau en feutre à la main, et ses cheveux roux se dressent comme des épis coupés à la serpe. Je pense qu'il vient pour accomplir un travail dans le jardin. L'ouvrier me dit qu'il voudrait voir le docteur, que c'est son frère qui l'envoie. Il s'exprime d'un air calme, avec un léger accent allemand. Je le fais asseoir dans l'entrée. Mon père croit qu'il y a eu un accident, mais il se trompe, il s'agit d'un patient qui a rendez-vous le lendemain à son cabinet parisien. Je suis surprise qu'il ne manifeste pas d'agacement d'être dérangé à son domicile où il ne consulte pas, et présume qu'il va congédier l'importun, mais au contraire, il le reçoit avec de grands sourires et force amabilités, le fait entrer dans son bureau et referme la porte derrière eux.

Jamais nous n'avons connu une consultation si longue. Ils sortent après deux longues heures en tête à tête, mon père le raccompagne jusqu'à la rue, ce que je

ne l'ai vu faire avec personne. Je suis encore plus surprise quand il se propose de le conduire à l'auberge
Saint-Sabin. Ils partent ensemble comme deux vieux
amis, et mon père, comme s'il lui servait de guide, lui
montre les demeures et les rues du village.

Le soir, quand je l'interroge, il m'apprend que
l'homme s'appelle Vincent, sur le coup je ne saisis pas
son nom, il est hollandais et a eu des problèmes de
santé, qui sont terminés ou presque. D'après lui, c'est un
artiste au talent immense, comparable aux plus grands,
même s'il ne vend rien, et qui produit des choses éton-
nantes, comme il n'en a jamais vu. Il faut, en effet, que
mon père ait beaucoup d'estime pour lui, et pour son
frère qui est marchand de tableaux, pour s'occuper de
lui ici, plutôt qu'à Paris. La consultation suivante aura
lieu mardi en huit. Il l'a même invité à déjeuner, ce qui
m'étonne vraiment, car mon père n'invite personne à la
maison.

*

Lettre de Vincent à Théo, 20 mai 1890

« ... *J'ai vu monsieur le docteur Gachet qui a fait sur
moi l'impression d'être assez excentrique, mais son expérience de docteur doit le tenir lui-même en équilibre en
combattant le mal nerveux duquel certes il me paraît
attaqué au moins aussi gravement que moi. Il m'a piloté*

dans une auberge où l'on me demandait 6 fr par jour. De mon côté, j'en ai trouvé une où je paierai 3,50 fr par jour... La maison à lui est pleine de vieilleries noires, noires, noires... Puis il me dit qu'il faut beaucoup travailler hardiment, et ne pas du tout songer à ce que j'ai eu. »

*

Je me suis mise à l'abri sur la crête, à la lisière du bois de Chaponval, espérant y glaner un peu de fraîcheur. Depuis des semaines, une chaleur d'enfer nous accable, les blés sont courts, les terres desséchées, les oiseaux ont disparu, la campagne est désertée, et je suis le seul être vivant à se risquer à l'extérieur. Mon carnet de dessin est ouvert sur mes jambes mais, gagnée par la torpeur ambiante, je n'ai pas d'inspiration. J'aperçois un point lumineux qui avance sur le chemin d'Auvers. C'est lui, qui chemine, sans se presser, indifférent à la morsure du soleil. Vêtu de sa veste bleue, d'une chemise blanche, d'un pantalon noir, protégé par son chapeau en feutre, il porte sur l'épaule un sac en tissu ; de la main gauche, il tient un chevalet de campagne et, sous le bras droit, une toile vierge. Il s'arrête en contrebas de la butte où je me trouve. Il contemple le champ, déplie son chevalet et l'installe en rebord du champ, cale les pieds et pose la toile dessus. De son sac, il sort des brosses, une palette, des tubes de couleur. De là où je me trouve, je ne peux le voir préparer sa palette, ni voir ce qu'il commence à peindre. C'est à peine si je devine la toile qui se colore. Il peint collé à la toile, sans observer le champ, comme s'il avait tout mémorisé ou qu'il savait déjà ce qu'il a l'intention de peindre. Quand il reprend de la peinture, il ne jette pas un regard à sa palette, en tout cas il ne bouge pas la tête. Je suis surprise de sa brusquerie. Il ne pose pas la peinture sur la toile avec délicatesse, comme on le fait habituellement, mais avec nervosité, comme s'il avait un fouet au bout de la main et qu'il frappait le revêtement, il semble pressé, ses gestes sont saccadés. Il reste là, en plein soleil, et il doit cuire, je ne crois pas que son chapeau l'ombrage beaucoup, la chaleur ne semble pas l'incommoder. De temps à autre, machinalement, il s'essuie le front d'un revers de manche. Il prend du recul, parfois, pour examiner son œuvre, restant immobile, mais à aucun moment il ne considère le champ. Peut-être, après tout, qu'il peint autre chose qu'il a dans sa tête, et pas ce qu'il a devant les yeux. Puis il se lance à nouveau dans ce corps-à-corps, flagelle la toile de petits coups répétés. Je n'ai jamais vu personne peindre de cette façon. Il vient de relever son chapeau en s'essuyant le front et, de côté, il ne ressemble pas à un artiste mais à un oiseau de proie qui s'occupe de sa victime.

Je me décide à le rejoindre et descends la butte. Il s'est remis à peindre, absorbé par sa tâche, et il ne m'entend pas approcher. Je suis à quatre mètres de lui, quand la foudre me frappe. Ou une gifle monumentale.

Ou un tremblement de terre qui m'engloutirait. Quel mot existe-t-il pour exprimer le choc que j'éprouve en voyant pour la première fois un tableau de Vincent ? Je reste interdite, muette, pétrifiée, comme si on venait d'ouvrir l'Arche d'alliance et que je venais d'avoir la révélation, de découvrir ce qui m'avait été caché depuis toujours.

Je suis passée mille fois devant ce paysage qui était pour moi semblable à mille autres vallons paisibles, mais ce que je vois n'est ni banal ni paisible, ce sont les blés et les arbres qui vibrent comme s'ils étaient vivants et passionnés de vivre, avec le vent qui les bouleverse, le jaune qui s'agite de partout et le vert qui tremble. Il tourne lentement la tête, me découvre aussi figée que la femme de Loth, il ne se demande pas ce que je fais là, puis il me rejoint, il a de la couleur rouge et du jaune sur la main droite, des taches sur le bas de sa chemise. Ce qui me sidère, ce n'est pas seulement ce tableau inouï, c'est qu'il ait réussi à le peindre en moins de deux heures, et qu'il soit abouti et parfait.

— Tu n'aimes pas ? dit-il.

— Comment faites-vous ?

Il ne comprend pas ma question. Ses sourcils se froncent. Son tableau est fascinant, labouré de traits vifs qui donnent le tournis. De la chaleur en émane, l'odeur des blés surgit, les couleurs frémissent, ça bouge, ça respire, je ne savais pas qu'un jaune pût palpiter à ce point.

— Tu aimes ? répète-t-il.

Que répondre ? Le mot aimer est faible pour exprimer le trouble que je ressens.

– Je n'ai jamais rien vu de pareil.

Ce fut ma première rencontre avec la peinture de Vincent, et je revois sans cesse cette scène, je me souviens de chaque détail. Ce n'était pas vraiment *beau* au sens où l'on entendait la beauté alors, mais ça allait le devenir. J'ignore où se trouve ce tableau aujourd'hui, en Amérique probablement, peu importe, il est dans ma tête et éclaire chaque jour de ma vie, je ferme les yeux, je le vois, et il brille avec autant d'éclat. Il est à moi, comme les autres.

– Comment faites-vous pour peindre si vite ?

– Tu trouves que ce n'est pas bien ?

– Ce n'est pas ce que je veux dire. Moi, je suis lente, il me faut des journées entières.

– Oh, ce n'est pas une question de temps, mais de distance. Il faut réduire la distance à l'essentiel. Tu dessines ? Fais voir.

Il tend la main pour prendre mon carnet de dessin. J'hésite, non ce n'est pas possible, je le serre avec force contre ma poitrine, pas question qu'il découvre mes horreurs, il n'insiste pas.

– Comment va ton père ?

À cette époque, ce n'était pas comme aujourd'hui, les gens savaient garder leurs distances et, à l'exception des proches ou des amis, la familiarité n'était pas de mise avec des inconnus. Mais cela ne m'a pas dérangée. J'ai pensé que les peintres tutoyaient facilement, ou peut-être, étant étranger, ne connaissait-il pas les usages de notre pays, et je ne m'en suis pas offusquée. Vincent a pris sa toile avec précaution par l'arrière et m'a demandé de la lui tenir en faisant attention à ne pas me tacher car la peinture n'était pas encore sèche. Il a jeté sa palette et ses brosses dans son sac sans plus de précautions, a plié son chevalet, a tendu le bras pour reprendre son cadre, mais j'ai insisté pour le porter, et nous sommes partis ainsi, côte à côte, bavardant de choses et d'autres. Il a été surpris quand j'ai évoqué le climat cruel pour les récoltes, lui n'y trouvait rien à redire, au contraire, il ne se plaignait jamais, même quand le ciel était d'un gris de souris ou qu'il pleuvait, cependant il préférait le temps lumineux d'aujourd'hui qui ressemblait à celui du Midi, où le ciel est toujours d'azur.

– Avec cette chaleur, dit-il, le jaune est différent.

*

Lettre de Vincent à Émile Bernard, 19 juin 1888

« *Je l'ai peint en plein mistral. Mon chevalet était fixé en terre avec des piquets de fer, procédé que je te recommande. On enfouit les pieds du chevalet et puis on enfonce à coté un piquet de fer long de 50 centimètres. On attache le tout avec des cordes, vous pouvez ainsi travailler dans le vent.* »

*

Chopin... il est tellement au-dessus des autres, les compositeurs d'aujourd'hui m'ennuient. Non, ce n'est pas vrai, il y a Schubert, bien sûr. Les musiciens de ma mère. Ceux qu'elle jouait. Avec passion. C'est son piano, ce sont ses partitions, qu'elle a annotées, et qui sont restées empilées si longtemps sans que nul s'y intéresse. Moi, je les ai prises, elles sont à moi désormais. Personne ne me conteste cet héritage, comme s'il était de peu de valeur, pourtant c'est le plus beau cadeau qu'elle pouvait me faire. Louise m'a dit qu'elle ne jouait que ces morceaux et qu'elle les jouait divinement. Ce sont donc les deux seuls que je joue. Sans me lasser. Hélène, Georges, Louise, tous le disent, j'aurais pu devenir une interprète virtuose, j'en avais le talent et l'envie, il aurait fallu prendre des cours mais mon père a jugé cela inutile. *Pour quoi faire, voyons ? Tu ne vas pas donner de concerts ? Alors, qu'as-tu besoin de leçons particulières ? Tu joues assez bien comme cela. Tu ne te rends pas compte de ta chance, il y a peu de pères qui ont appris le piano à leur fille, tu n'es jamais contente.* Il me semble qu'un père devrait rêver de voir ses enfants réussir et tout faire pour qu'ils s'accomplissent, ce n'est pas son cas, je compte pour du beurre. Si mon frère réclamait une montgolfière pour étudier la forme des nuages, s'il exigeait des professeurs de danse indienne, de sanscrit ou de marqueterie napolitaine, son vœu serait réalisé dans les plus brefs délais à condition que cela ne coûte rien, mais mon frère demande la dernière plaquette de monsieur Verlaine ou de monsieur Mallarmé, et mon père, redoutant d'encourager son penchant naturel, affirme qu'il n'y en a plus de disponible à son cercle.

Moi, je stagne, je tourne en rond, avec mes ritournelles. Comme pour la peinture. Je suis arrivée au point où il ne m'est plus possible de progresser seule. Pour aller au-delà, il faut que quelqu'un m'ouvre les portes, me pousse, me bouscule, me fasse répéter, travailler. Je sens qu'il y a en moi une possibilité immense, comme un souffle emprisonné. Mais il m'empêche de prendre mon envol, il me rogne les ailes. Ma condition de jeune fille de bonne famille doit me satisfaire, et je dois me résigner. Mais je n'y arrive plus. Je n'aurai pas le courage de tenir encore deux longues années. À faire semblant. À dissimuler ma vraie nature. Deux années de perdues, de gâchées. Il me faudrait un peu de courage pour fuir maintenant. Serai-je plus courageuse quand je serai majeure ? Si j'avais ma liberté demain, que ferais-je de plus ? Est-ce que je ne me dissimule pas mes propres craintes ? Le manque d'argent ne serait-il pas un prétexte commode pour reculer et pour abandonner tout espoir ? Si je vendais les bijoux, je n'aurais plus d'excuse. Je dois aller à Paris et trouver un bijoutier. Je dois oser, c'est cela la vérité, pas seulement affronter la traversée et mentir sur mon âge. Oser partir et couper les ponts. Avoir enfin un peu de courage. En attendant, je n'ai rien d'autre à faire qu'à continuer ma petite sonate. En Amérique, je pourrai donner des leçons. Ils ne doivent pas avoir beaucoup de musiciens là-bas.

*

Lettre de Vincent à Théo et Johanna, 20 mai 1890

« *Auvers est bien beau, beaucoup de vieux chaumes entre autres, ce qui devient rare. J'espérerais qu'en faisant quelques toiles de cela bien sérieusement, il y aurait une chance de rentrer dans les frais du séjour, car réellement c'est gravement beau.* »

*

Dimanche soir, alors qu'il s'apprêtait à avaler un bout de fromage, mon père s'est figé dans son geste et a paru longuement considérer la pointe de son couteau, mais ce n'était qu'un problème de perspective, il s'est levé, s'est rendu dans la cuisine et il a commandé pour le mardi un déjeuner de gala, sans donner plus d'explications. Louise s'est mise à le préparer, ne rechignant ni à la dépense ni à la besogne, et le résultat fut à la hauteur de ses attentes, Louise étant un cordon-bleu. Pourtant, elle se faisait du souci, craignait d'avoir perdu la main,

95

car depuis des années, nous ne recevions personne, et, mon père soutenant qu'il fallait se nourrir légèrement et ne commettre aucun abus de bouche, nos repas lui demandaient peu de travail. Elle sortit du buffet le service de Limoges qui n'avait plus servi depuis le repas de communion de Paul, ainsi que les couverts en argent qu'elle passa trois heures à astiquer car cela faisait longtemps qu'on ne les utilisait plus. À croire qu'on allait recevoir le préfet, ou monsieur Secrétan. Mais non, l'invité de mon père était Vincent. Et ni Louise ni moi ne comprîmes la raison de ce bouleversement pour un patient qui n'avait pas l'air si malade que cela. Pendant toute la journée du lundi, mon père ne cessa de harceler Louise, insistant sur le soin qu'elle devait apporter à ce repas, demandant s'il serait en quantité suffisante et s'il ne fallait pas augmenter d'une chair ou d'un pâté, allant jusqu'à vérifier la qualité des sauces dans les marmites.

Dans l'après-midi du lundi, alors que je faisais mes gammes, il voulut que j'aide Louise, précisant que ce serait une bonne occasion pour moi de découvrir comment il fallait cuisiner. Je déclinai sa proposition, en ajoutant que je ne voyais pas l'intérêt d'apporter ma contribution, n'ayant pas l'intention de cuisiner un jour quoi que ce soit pour qui que ce soit. Dans la soirée, ayant quelques scrupules vis-à-vis de Louise, je lui demandai si je pouvais l'aider d'une quelconque façon, elle refusa, puis se ravisa, me priant d'aller couper des fleurs dans le jardin pour égayer la maison.

– Ce personnage est-il donc si important, pour que ton père le reçoive avec tant d'égards ?

– Il faut croire, dis-je.

Le mardi, mon père insista pour que je mette la robe en toile de coton blanche de Chambray avec le col Claudine, qu'il m'avait achetée l'année précédente au Bon Marché, en récompense de mon baccalauréat. Lui-même avait sorti son élégant costume de flanelle noire, réservé d'ordinaire aux soirées de sa loge, et il passa une partie de la matinée à s'examiner dans la glace de l'entrée, à se recoiffer et à me demander si tout allait bien.

Vincent arriva peu avant midi avec son sac de peinture en bandoulière, son chevalet pliant à la main et une toile vierge sous le bras, il avait l'intention de peindre dans notre jardin. Lui n'avait pas fait de frais de toilette ; finalement, avec son chapeau en feutre, sa chemise blanche et son pantalon noir, il ne ressemblait pas à un ouvrier agricole, mais à un peintre, tout simplement. Il pensait installer immédiatement son chevalet car la lumière lui plaisait, mon père dut insister pour qu'il reporte son projet après le repas. Nous nous installâmes dans le salon et je fus surprise du ton chaleureux de la conversation, j'avais cru que cet homme était un malade qui venait se faire soigner par un médecin mais ils semblaient familiers l'un à l'autre, comme deux vieux amis qui retrouvent leur complicité après une séparation. Mon père servit lui-même le vin de Porto,

Vincent semblait réticent, confiant qu'il ne buvait plus depuis que le docteur qui l'avait soigné dans le Midi lui avait recommandé de s'abstenir de tout alcool pour prévenir les crises qui l'avaient terrassé, mais mon père l'encouragea à profiter de ce nectar, qui ne pouvait faire de mal quand il était consommé sans excès. Vincent parut ravi de ce conseil et ils commencèrent à bavarder comme s'ils s'étaient quittés la veille. Mon père m'a demandé de voir si nous pouvions passer à table. À mon retour, quelle ne fut ma surprise de les entendre discuter dans un jargon inconnu. Je savais que nous étions originaires de Lille, car mon père signait ses tableaux Van Rijssel, mais j'ignorais jusqu'à cet instant qu'il parlait flamand. Vincent semblait heureux de pouvoir s'exprimer dans son idiome maternel, mais, très vite, il insista pour qu'on continue la conversation en français, précisant que c'était son langage désormais et qu'il n'en voulait point d'autre. Il veillait à s'y perfectionner, écrivait à son frère en français et l'obligeait à faire de même, malgré leurs fautes de grammaire et de conjugaison. Mon père trouva qu'il avait du mérite car notre langue est réputée difficile. Vincent resta pensif, la tête penchée au-dessus de son verre, et un silence s'installa.

— Ce doit être douloureux de vivre loin de son pays, dit mon père.

— Pas pour moi, répondit Vincent. Mon départ est

définitif. La France est mon pays désormais, je me sens chez moi ici, et ne retournerai jamais là où je suis né. Vincent paraissait préoccupé et demanda s'il devait s'inquiéter de son état pour l'avenir. Mon père s'exclama qu'il se portait comme un charme, bien mieux que la plupart des gens qu'il croisait chaque jour. Lui – et il parlait avec l'autorité que lui conférait la Faculté en sa qualité de médecin – le considérait comme guéri, et il garantissait que les problèmes qu'il avait connus étaient derrière lui et ne se reproduiraient plus.

– Ce que vous avez, mon cher, se soigne par le travail. Vous devez travailler hardiment, et ne pas songer à autre chose qu'à peindre.

Ce fut un repas comme nous n'en avions jamais fait dans cette maison. Nous commençâmes par des asperges d'Argenteuil à la sauce mousseline, suivies d'un vol-au-vent financière et d'un pâté de foie princière, d'une darne de saumon à la hollandaise, d'un bœuf braisé à l'épicier et d'un filet de bœuf à la Richelieu, accompagné de fonds d'artichauts à la lyonnaise et de haricots verts maître d'hôtel, le tout arrosé d'un chambertin et d'un chablis. Personnellement, je me servais avec modération mais mon père encourageait Vincent à se resservir. Il demanda grâce, mais ne put échapper aux pêches à la Bourdaloue et à la charlotte à la chantilly.

Tout le long du repas, ils s'entretinrent de peinture, mais uniquement des peintres flamands de la grande époque, qu'ils appréciaient autant l'un que l'autre. Un verre après l'autre, mon père finit les deux bouteilles, je voyais bien que Vincent ne buvait que du bout des lèvres.

Après le déjeuner, nous sortîmes prendre un peu l'air, mais la chaleur était forte. Mon père s'installa sur la banquette en osier et, avant que son café n'ait refroidi, il avait piqué du nez. Vincent déplia son chevalet et se mit à peindre le jardin, au soleil, sans son chapeau, et, pensant qu'il en aurait besoin, je suis allée le chercher à l'intérieur, il a semblé heureux de cette attention et m'a remerciée. De loin, j'ai jeté un coup d'œil sur sa toile. En quelques minutes, elle était pleine de couleurs.

*

Lettre de Vincent à Théo, 4 juin 1890

« *... C'est une corvée pour moi d'y dîner et déjeuner, car l'excellent homme se donne du mal pour faire des dîners où il y a quatre ou cinq plats, ce qui est abominable pour lui comme pour moi... Ce qui m'a un peu retenu d'y trouver à redire, c'est que je vois que cela lui rappelle les jours d'autrefois où l'on faisait des dîners de famille.* »

*

Ma montre marquait presque midi, j'étais en retard. Je tirais la porte de la maison quand j'entendis dans mon dos une voix masculine qui me fit sursauter :

– Tu t'en vas ?

Vincent était face à moi, vêtu comme la veille de sa chemise blanche et de son chapeau en feutre, il portait son sac en tissu blanc en bandoulière, tenait deux toiles sous le bras et son chevalet plié de l'autre main. Il me sourit et me salua d'un mouvement de tête. J'avais du mal à m'habituer à son tutoiement. Ignorait-il les usages de la bienséance ou le vouvoiement lui était-il inconnu, ou peut-être me considérait-il comme une enfant et que l'écart de nos âges lui permettait de s'adresser à moi avec cette familiarité ? Je décidai de ne pas répondre à son salut et nous restâmes un instant silencieux.

– C'est un beau jour pour peindre, dit-il.

– Je suis désolée, mais je suis pressée. Je dois déjeuner avec une amie, et je risque de rater le train pour Pontoise.

– Je viens voir ton père.

– Il n'est pas là, il est parti tôt ce matin pour Paris pour ses consultations, il ne rentrera que vendredi soir.

– C'est embêtant, je lui amenais ma toile.

Joignant le geste à la parole, il voulut saisir une des deux toiles qu'il tenait sous le bras, mais, étant embarrassé par ce qu'il portait, il me tendit son chevalet que je fus obligée de prendre.

– C'est un cadeau, pour le remercier de son accueil, et du déjeuner.

– C'est gentil, je la lui remettrai, si vous voulez.

Il s'immobilisa dans son geste et son visage se durcit.

– C'est embêtant ! répéta-t-il.

– Revenez samedi, vous la lui donnerez vous-même, il sera content.

Il hésita, puis me tendit la toile. Je posai le chevalet contre le mur et pris la toile à deux mains. Et, à cet instant, mon cœur se mit à tambouriner. Comme lors de notre première rencontre dans le vallon de Chaponval. Non, plus fort encore. Cette peinture était sidérante de beauté. Elle n'était pas très grande, une cinquantaine de centimètres, mais c'était le plus beau champ de fleurs que j'aie jamais vu. La nature explosait, une vibration incroyable l'animait ; pourtant il n'avait, par petites touches, utilisé que deux couleurs : le vert et le blanc se partageaient la toile, avec des pointes fugitives de jaune pour des fleurs incertaines, et de bleu pour marquer son ciel chargé. Dans le fond, on reconnaissait le toit de notre maison plus qu'on ne le voyait ; nos cyprès, bizarrement gonflés, semblaient soutenir la toile telles deux colonnes vertes un peu de guingois. Avec ses roses blanches et sa vigne, c'était notre jardin assurément, reconnaissable entre mille, mais métamorphosé, il avait perdu son ordonnancement sage et soigné, il bouillonnait de vitalité, d'allégresse même, et semblait fringant comme un jeune homme. Surtout, ce qui me bouleversa, c'est qu'au milieu de cette toile Vincent m'avait peinte, avec ma robe blanche qui flottait un peu et mon chapeau de paille jaune acheté au marché de Pontoise. On ne pouvait reconnaître mon visage, il était à peine souligné, mais c'était moi, avec mon inclination du cou, mes épaules carrées, tenant à la main un bouquet d'herbes vertes, immobile en plein cœur de sa toile, suggérant que j'étais intégrée à ce jardin luxuriant. Je n'avais pas posé pour lui, j'étais passée à trois reprises dans son champ de vision, vaquant à mes occupations, sans m'arrêter, et jamais je n'aurais imaginé qu'il m'avait saisie au passage.

– Cette toile est merveilleuse.

– Vraiment ? Elle te plaît ?

– Elle est exceptionnelle, vous voulez dire. Il y a une vie extraordinaire dedans. Comment faites-vous ?

Il examina sa toile un instant, comme s'il cherchait à en découvrir le mystère, et haussa les épaules.

– J'essaye d'approcher au plus près de ce que je sens.

– Les cyprès sont moins larges, là ils sont de travers, un peu dégingandés, non ?

Vincent me prit la toile des mains, la lumière du soleil l'obligea à se réfugier à l'abri du mur, il examina sa peinture avec attention.

– Non, je t'assure, ils étaient comme cela.

– Oui, ils sont plus beaux ainsi.

– Tiens, prends-la, je te la donne.

– Mais c'était pour mon père, il va se vexer.

– Je lui en offrirai une autre.

Je ne suis pas allée déjeuner chez mon amie Hélène. À vrai dire, je l'ai oubliée. Je suis restée avec Vincent. J'ai hésité à le conduire dans ma chambre, cette retenue a duré une demi-seconde, il n'y avait entre nous aucune ambiguïté.

– Venez, ai-je dit.

J'ai déposé la toile sur le plateau de la cheminée, elle attrapait toute la lumière de ma chambre. Lui trouvait que ce n'était pas une bonne place pour son tableau, qu'il fallait le mettre sur le mur opposé, à hauteur du visage, décalé par rapport à la fenêtre pour qu'il soit éclairé de biais, et il se proposa de revenir planter un clou pour l'accrocher. Il le positionna à différents endroits, jusqu'à trouver celui qui convenait, et il traça une croix à peine visible pour s'en souvenir. J'ai proposé de lui offrir à boire ou de préparer un repas, mais il a refusé, il avait mangé la veille pour plusieurs jours et n'avait envie que d'une chose, aller peindre dans la campagne. Il a mis son sac en bandoulière, je lui ai demandé si je pouvais l'accompagner, il a paru surpris, je lui ai promis que je ne le dérangerais pas, qu'il ne se rendrait pas compte de ma présence, que je travaillerais dans mon coin. Ce fut notre première promenade tous les deux, il n'y avait pas grand monde dehors sous cette chaleur de plomb, à part les paysans qui trimaient dans leurs champs et ne faisaient attention à personne.

Nous descendîmes vers les bords de l'Oise, quatre enfants se baignaient bruyamment à la Grenouillère, une anse sablonneuse de la rivière aménagée en plage, et se jetaient dans l'eau du ponton en bois. Trois bateaux amarrés le long de la berge permettaient de rejoindre l'île de Vaux qui s'étirait en longueur sur un bon kilomètre. Nous continuâmes sur l'ancien chemin de halage qui serpente le long de la rivière et, petit à petit, les cris des enfants s'éteignirent. Sans me prêter aucune attention, Vincent s'installa à l'abri d'un tilleul, face à l'île, déplia son chevalet et posa sa toile dessus, il sortit sa palette et plusieurs brosses de son sac, il rajouta des couleurs et il se mit à peindre. De mon côté, je m'assis en retrait, sur une souche, je pris mon carnet et me lançai dans le dessin d'un bouquet d'arbustes qui sortaient de l'eau, mais, après avoir griffonné cinq minutes, devant la laideur de ce que je faisais, je renonçai à ce projet et restai à regarder Vincent travailler. C'était un spectacle, il considérait à peine son sujet, touillant nerveusement sa palette et peignant par touches sèches et répétées, sans hésiter, à croire qu'il savait à l'avance ce qu'il allait peindre et qu'il ne faisait qu'accomplir son œuvre, il travaillait vite, comme s'il essayait d'attraper l'instant présent et se dépêchait de le fixer sur sa toile. Il peignit deux heures d'affilée, puis il s'arrêta, examina longuement son tableau, qui ne semblait pas le satisfaire, il l'observa de près, reprit une de ses brosses, corrigeant d'infimes détails mais, finalement, se résolut à le laisser tel quel. Il enleva sa toile du chevalet, qu'il plia, jeta en vrac dans son sac ses brosses et sa palette et s'en alla, sa toile à la main. Je crus qu'il s'agissait d'une facétie de sa part, mais je vis à son allure décidée qu'il m'avait

oubliée. Il s'éloignait sur le chemin quand je me décidai
à l'appeler :

— Vincent !

Il s'immobilisa en entendant son nom, se retourna et
me découvrit, qui venais vers lui.

— Vous partiez ? Sans moi ?

— Je pensais à autre chose, dit-il, l'air soucieux.

— Il y a un problème ?

— Je ne suis pas content de ce tableau. Il y a quelque
chose qui ne me plaît pas dedans, mais je ne trouve pas
quoi.

— Faites voir.

Je fus décontenancée par son travail. Il avait passé
deux bonnes heures face à la rivière et à l'île de Vaux,
paysage ravissant s'il en est, mais il n'avait pas été intéressé par ce cadre enchanteur, il s'était attaché à peindre
ce qu'il ne pouvait voir de là où il se trouvait : des
barques, une douzaine étagées sur les flots, une jaune,
une bleue, une orange et une rouge avec une voile rose
levée dans le côté gauche ; l'Oise, à peine visible, calme
et bleutée, s'opposait à la masse verte, vibrante et fré-
missante de la nature touffue de la berge. Sur une des
barques, presque au milieu du tableau, une silhouette
assise qui me ressemblait beaucoup, avec une robe
blanche identique à la mienne, même si on ne pouvait
voir son visage dissimulé sous un chapeau de paille
dorée.

— C'est moi, là ?

Il parut surpris de ma question, fixa sa toile longuement et secoua la tête.

– Je ne crois pas.

– On dirait pourtant. C'est mon chapeau !

– Ce tableau fout le camp, non ?

– Il n'y a rien qui retient les barques, on a le sentiment qu'elles dérivent.

– Non, c'est pas ça.

– On ne voit que moi sur cette barque verte.

Il hocha la tête à plusieurs reprises, déplia son chevalet, le planta dans la terre et eut du mal à l'équilibrer, puis il posa sa toile dessus. Il attrapa sa palette et deux brosses, ajouta du bleu et, en moins de temps qu'il n'en faut pour le dire, peignit deux personnages sur le chemin, une forme indiscernable en robe blanche et, près d'elle, un personnage en bleu qu'il cerna de noir, le poing gauche calé sur la hanche, comme on peut le voir dans certains tableaux hollandais.

– C'est mieux, non ? dit-il.

– L'homme fait un peu plaqué dans cette perspective.

– J'ai pas cette impression.

– On sent qu'il a été ajouté.

– Faut que la peinture sèche.

– Il est trop grand par rapport à sa voisine.

– C'est très bien ainsi, ça rééquilibre le tableau, dit-il en haussant le ton.

Il prit un pinceau fin, un peu de peinture sur sa

palette et apposa une touche de vert sur le devant du chapeau de la femme dans le bateau.

– Tu vois, c'est pas toi. Comment le trouves-tu maintenant ?

– C'est peu comparable, les arbres paraissent tourmentés par le vent, mais cette agressivité ne se retrouve pas dans l'eau, qui est paisible comme celle d'un lac, c'est un endroit romantique ici, propre à la rêverie, à la mélancolie, ce tableau ne reflète pas le charme de ces rives.

Il examina attentivement son travail, puis il me dévisagea d'un air sombre. Il ôta le tableau du chevalet, plia ce dernier nerveusement, jeta dans son sac sa palette et ses brosses. À ce moment-là, il jeta un œil sur le carnet que je tenais à la main.

– C'est quoi ?

Je le lui tendis, il examina à peine le premier dessin, fit la moue, tourna deux trois pages et lança violemment le carnet dans un taillis. Sans m'accorder un regard, il s'éloigna à grandes enjambées, non par le chemin le long de la berge, mais en s'enfonçant dans la forêt, tête en avant comme un bélier, et avant que j'aie pu revenir de ma surprise, il s'était évanoui dans la frondaison. J'entendis ses pas décroître. Pendant un instant, j'espérai qu'il allait revenir, mais il n'y eut plus aucun bruit. Sur le sol, je ramassai un tube de peinture qu'il avait laissé tomber dans sa précipitation, du vert Véronèse de chez Tasset & Lhôte, et je suis allée récupérer mon carnet de dessin qui gisait au pied d'un arbre.

Comment avais-je pu ? Comment avais-je osé ? C'était le plus grand peintre de notre époque, le plus novateur, et moi, petite prétentieuse, je lui donnais la leçon, comme un maître à un élève, moi qui suis incapable de dessiner une rose ou une pomme. Je me suis crue autorisée à lui dire cela parce qu'il n'était rien, un pauvre peintre obscur à qui personne n'avait jamais acheté le moindre tableau et à qui personne n'en achèterait jamais. S'il avait été connu, je ne me serais pas permis de le juger. C'est ainsi qu'on agit en ce monde. Vous n'existez pas pour ce que vous faites, mais pour la place que vous occupez dans la société. Et j'étais, comme les autres, un mouton de Panurge, incapable d'exprimer un peu d'originalité et de sortir de l'ornière. On excuse souvent les bêtises en raison de l'âge, et c'est vrai, je n'étais qu'une péronnelle ; son talent aurait dû me sauter aux yeux, mais j'étais aveugle, comme tous mes contemporains, et j'aurais dû me taire. Me taire et admirer. Profiter du bonheur qui m'était donné de côtoyer un génie pareil, de vivre à ses côtés, de l'entendre s'exprimer, et de la chance inouïe de le voir peindre. Combien de fois a-t-il été repoussé, méprisé par les médiocres, et quel trouble a-t-il dû ressentir face à ces mauvais traitements, se demandant probablement pour quelle raison on ne lui rendait pas justice ? Quel doute aussi, quelle angoisse ? Et qu'elle devait être grande, sa force de caractère, pour tenir avec autant de fermeté sur le chemin qu'il s'était fixé et ne pas céder aux assauts répétés des bornés dans mon genre. Ou alors, il devait être habitué à ces affronts, et il s'en moquait. J'ai le sentiment qu'il s'était forgé une carapace, il était totalement habité par sa peinture, c'était la seule chose qui l'intéressait et rien d'autre ne l'atteignait. Il savait la valeur de son art, que c'était d'une force jusque-là inconnue. Ses tableaux n'étaient pas forcément beaux au sens où on l'entendait à cette époque, mais ils étaient d'une puissance et d'une nouveauté qui allaient créer une autre beauté et renvoyer les autres dans les poubelles de l'art.

*

Lettre de Vincent à sa mère, 4 juin 1890

« *Malheureusement, la vie est chère, ici au village ; mais Gachet, le docteur, me dit que c'est la même chose dans tous les villages de la région, et lui-même a aussi beaucoup à souffrir, comparé aux prix d'autrefois... Mais lui, je puis le payer en tableaux, un autre, je ne le pourrais pas.* »

*

Je m'apprêtais à pousser la porte d'entrée quand je rebroussai chemin et me dirigeai vers la mairie, sans presser le pas. Les rues commençaient à s'animer ; je passai devant l'auberge où il logeait, deux des tables à l'extérieur étaient occupées par des clients qui buvaient des chopines et riaient bruyamment. Je poursuivis jusqu'à l'église et fis le tour du village en passant derrière le château, mais je ne le vis nulle part.

En rentrant à la maison, je trouvai Hélène qui attendait, assise sur la banquette en osier du jardin. Dès qu'elle m'aperçut, elle se précipita à ma rencontre.

— Mais où étais-tu ? lança-t-elle. J'étais morte d'inquiétude.

Elle vit à mon visage étonné que je ne saisissais pas la raison de son affolement.

— Nous avions rendez-vous pour notre déjeuner !

Qu'aurais-je pu lui dire ? Aurait-elle pu comprendre ce que moi-même je ne comprenais pas, et qui de toute évidence n'existait pas ? Cela aurait été trop compliqué à expliquer, et un peu absurde aussi.

— J'ai dû accompagner mon père à Paris, dans l'urgence, je n'ai pas pu te prévenir. Un problème de famille. Une parente que tu ne connais pas. Mais c'était une fausse alerte.

— Pourtant, tu as l'air chiffonnée. Tu es toute pâle encore.

— C'est que dans l'affolement de cette journée, je n'ai rien mangé depuis ce matin.

Hélène est une amie attentionnée, elle me fit rentrer chez moi avec autant de précaution que si j'étais sur le point de m'évanouir. Elle demanda à Louise de nous préparer un thé avec des galettes, lui reprocha de ne pas l'avoir prévenue de notre départ et, avant que Louise ait pu manifester, elle m'avait emboîté le pas, elle craignait que je ne tombe dans l'escalier. Elle m'accompagna dans ma chambre et je lui demandai de me laisser, le temps que je me change et fasse un brin de toilette. Elle avisa le tableau que Vincent m'avait offert.

– Qu'est-ce que c'est ? demanda-t-elle.

– Oh, c'est une toile qu'un ami peintre m'a donnée ce matin.

– Ce matin ?

– Hier ! Il te plaît ?

– C'est à la mode d'aujourd'hui, mais je trouve ça trop fouillis à mon goût. C'est peint à la six-quatre-deux, on ne reconnaît aucune fleur.

– C'est parce que c'est un peintre impressionniste. Il peint ce qu'il ressent. Papa s'occupe un peu de lui.

– Pourquoi ?

– Il a été fatigué, je crois. Et moi, comment me trouves-tu ?

– C'est toi, là ? Cette ombre blanche ! On dirait un fantôme.

*

La Lanterne, 4 janvier 1890, 15 nivôse an 98

« Le tunnel sous la Manche. Le Times *se déclare décidemment hostile à tout projet qui aurait pour but de réunir l'Angleterre au continent européen. Le journal de la*

Cité dit qu'il faudrait trouver un moyen qui empêcherait sir Edward Watkins de saisir le Parlement, à chaque session, d'un projet que le pays a définitivement condamné. »

*

Les deux jours suivants, chaque après-midi, j'ai traîné dans Auvers et les environs, comme si soudain j'éprouvais le besoin de me promener sous le soleil cuisant, à peine protégée par mon ombrelle, je ne me souviens pas d'avoir autant marché et d'avoir eu si chaud, je voulais revoir Vincent, essayer de dissiper le malentendu, m'excuser. J'espérais qu'il me pardonnerait ma muflerie, mais il avait disparu, à croire qu'il restait claquemuré dans sa chambre. J'ai été à deux doigts de demander à Ravoux, mais je n'ai pas osé accomplir cette démarche, je me suis souvenue que mon père était fâché avec l'aubergiste. Peut-être Vincent avait-il quitté Auvers et repris le train de Paris. Comment savoir ? À deux reprises, j'ai eu un fol espoir en apercevant des chevalets et, derrière, une silhouette coiffée d'un chapeau de paille, mais pour l'un c'était un peintre américain d'un certain âge qui louait une maison dans le village et peignait comme un sabot. J'en profitai pour lui poser quelques questions, il confirma la dureté de la traversée en troisième classe. Lui-même avait fait ce voyage quarante ans auparavant et avait failli mourir de froid, il précisa que le mois de juin était la meilleure époque pour ce voyage, il jura que n'importe qui pouvait faire fortune dans ce pays, pour peu qu'il ait du courage et un brin de réussite. Il en était la preuve vivante, étant arrivé de Suède sans un sou en poche il s'était enrichi dans le commerce de la blanchisserie. Par contre, je n'ai pas bien compris quand il a prétendu que dans le Nouveau Monde les femmes étaient quasi les égales des hommes, mais qu'elles faisaient beaucoup plus mal la cuisine qu'ici. Pour l'autre, c'était un peintre, hollandais lui aussi, qui logeait à l'auberge Ravoux. Il connaissait bien Vincent pour occuper la chambre contiguë de la sienne et il affirma que ce dernier partait dès l'aube pour peindre dans la campagne et rentrait tard pour se coucher aussitôt. Ce Batave peignait le lavoir d'une façon horrible et parlait de son travail comme s'il était Rembrandt réincarné.

*

La Lanterne, janvier 1890

« Vanina Vanini *de monsieur Henri Beyle (Stendhal) paraît en feuilleton dans le supplément littéraire, publié deux fois par semaine.* »

*

Mon père nous ayant fait prévenir qu'il était retenu à Paris par une réunion exceptionnelle de son cercle et qu'il ne rentrerait que samedi, je suis donc allée attendre mon frère à la gare. Cela ne se produit jamais, il revient avec mon père qui passe le chercher à son lycée pour prendre le train avec lui, comme s'il était incapable de voyager seul. Je me sens un peu coupable à son égard. Nous avons trois ans d'écart, et notre mère est morte peu après sa naissance ; de sa vie, il n'a connu que l'affection de Louise, et la mienne, mais j'ai été tellement prise par mes études ces deux dernières années que je l'ai négligé et il a souffert de cet éloignement. Mon père lui a donné son prénom, comme s'il était l'héritier d'une dynastie royale. Alors, avec Louise, pour les distinguer, nous l'appelons le petit Paul, et l'autre le docteur. Notre entourage a adopté notre pratique. Il a pris ce surnom en horreur, mais, par négligence, par habitude, on continue de l'appeler le petit Paul, et il nous reprend chaque fois. Ce n'est pas un garçon de son temps, avec la révolution et la violence dans le cœur. Il aurait été plus avisé de naître au début de ce siècle, il se serait senti plus à l'aise dans une époque qui se voulait romantique. Il est délicat, avec un visage presque féminin, le teint pâle, un âge incertain, il n'est plus vraiment un enfant, mais pas encore un adolescent, il est capable de rester des heures le nez en l'air à penser, à sourire, à rêver, se faisant reprendre sans cesse par ses maîtres pour son manque d'attention. Je l'ai vu, d'année en année, se refermer sur lui-même, s'éloigner de nous, s'exprimant avec réticence, comme si chaque parole lui coûtait, et il faut insister pour lui extirper deux mots du bec et entendre le son de sa voix. Peut-être a-t-il compris que dans le monde où il vit le silence est moins dangereux que de révéler sa pensée. Dans son lycée, qui n'est pas le pire, la vie quotidienne ressemble à celle d'une caserne et la discipline est toujours celle des internats napoléoniens, qui paraît si absurde aujourd'hui. Les révoltes dans les lycées, de véritables mutineries, se comptent par dizaines et peuvent être d'une extrême brutalité, avec fuites massives, locaux saccagés, incendies ou agressions physiques et barricades, comme à Louis-le-Grand l'année dernière, et il faut souvent envoyer la troupe pour ramener le calme.

Je patientai en bout de quai et l'aperçus qui avançait au milieu de la foule des voyageurs, traînant le pas, vêtu de son uniforme flapi, la tunique en drap bleu à passepoils rouges et boutons dorés ouverte sur une chemise fripée en cretonne, auréolée au cou de marques de transpiration, le nœud de sa cravate en soie noire défait, un pan de la chemise dépassait du pantalon de la même étoffe rugueuse, qui devait être horriblement chaude par ce temps de canicule, son képi avec liseré et macaron dorés rejeté en arrière. Il marchait courbé en avant sous le poids d'un cartable en cuir noir qu'il portait à l'épaule et qui semblait peser une tonne. Il me dépassa sans me voir et ne réagit pas quand je l'appelai comme s'il était sourd. Je le rattrapai, me postai devant lui et il faillit me heurter.

– Paul, tu n'entends pas ?

Son visage s'éclaira, il me sourit.

– Je ne m'attendais pas...

– Tu as l'air fatigué.

Il laissa tomber son cartable sur le sol, prit son képi d'une main et de l'autre s'épongea le front avec un mouchoir. Il sentait l'écurie.

– Paul, tu devrais prendre un bain.

– Je sais, au lycée, c'est impossible.

– Tu n'en as pas un autre ?

– C'est mon uniforme de rechange. L'autre est dans le cartable et il pue. Nous dégageons tous une odeur horrible.

– Demande à Louise de te les nettoyer. Comment cela se passe au lycée ?

– Je fais comme les autres, je subis, en silence. J'attends que la porte s'ouvre avec impatience, je pense à autre chose, moi j'ai la chance de pouvoir m'évader, je baisse la tête, je passe entre les mailles. Le surveillant général est un garde-chiourme, il y en a qu'il déteste vraiment et ceux-là, je les plains, moi je fais partie du troupeau, je passe inaperçu.

– Pourquoi tu n'en parles pas à papa ?

– Surtout pas, ce serait pire.

J'ai hésité à l'interroger, mais il ne m'aurait pas répondu. Il souleva avec peine son cartable, le hissa sur son épaule et nous quittâmes la gare. Il marchait lentement, tête baissée, voûté sous le poids de sa charge, ne

117

saluant personne. Je prenais de l'avance, j'étais obligée de l'attendre.

À proximité de l'escalier de la Sansonne, j'aperçus Vincent au loin. Quand il me vit, il obliqua vers moi, portant toujours son sac en bandoulière, une toile sous le bras et son chevalet sous l'autre. Il s'arrêta face à moi et parut heureux de cette rencontre.

– Comment va, Marguerite ?

– Depuis la dernière fois, je me demandais... Et vous ?

– J'attends la livraison de mes affaires mais elles tardent à arriver de Saint-Rémy. À part cela, tout va bien. La lumière est exceptionnelle et je peins sans m'arrêter. Je n'ai jamais autant peint de ma vie. La région est magnifique.

– Je pensais que vous étiez fâché après moi.

– Pourquoi donc ?

Je le dévisageai, me demandant s'il ne se moquait pas de moi, mais il semblait avoir oublié notre dispute. Paul nous avait rejoints.

– Vincent, je vous présente mon frère, il s'appelle Paul, comme mon père. On l'appelle le petit Paul pour le distinguer de mon père.

– Je m'appelle Paul, pas le petit Paul ! lança mon frère, qui laissa tomber son cartable sur le sol.

Vincent avança la main, Paul la lui serra, un brin méfiant.

– C'est le peintre dont papa s'occupe.

118

– Il ne s'occupe pas beaucoup de moi, heureusement, intervint Vincent. Pas besoin. Il avait raison : le travail est le meilleur des remèdes.

– C'est vous, l'ami de Pissarro ? demanda Paul.

– Et j'espère bien le voir un de ces jours. Tu le connais ?

Paul le considérait du coin de l'œil, ne sachant à quoi s'en tenir avec cet inconnu qui se permettait de le tutoyer.

– Qu'est-ce que tu fais, Paul, tu es à l'armée ?

– Moi ? Je suis au lycée, à Paris, je suis pensionnaire.

– Tu ressembles à un soldat avec cet uniforme. Tu veux être soldat ?

– Manquerait plus que ça ! Moi, ce que je veux, c'est être poète.

– Et tu écris ?

– Oui, mais personne ne lit mes poèmes. Pas encore.

– À une époque, j'aimais bien Baudelaire.

– C'est mon poète préféré.

Paul attrapa la courroie de son cartable et voulut le hisser sur son épaule. Vincent la lui prit des mains et le souleva.

– C'est lourd comme du plomb, que transportes-tu ainsi ?

– Ce sont des livres. Je ne peux pas les laisser au lycée.

Vincent porta son cartable sans effort apparent jusqu'à notre maison. Je lui proposai de le décharger de son chevalet et il me le donna à tenir. Par contre, il ne

119

voulut pas se défaire de la toile qu'il garda sous le bras. En le voyant avancer si fièrement, nul n'aurait pu croire une seconde que cet homme était mal portant. Quand Paul revint à sa hauteur, il renifla à deux reprises, il parut surpris mais se garda de toute réflexion. Je lui proposai de prendre un rafraîchissement et de se reposer un moment dans notre jardin, mais il déclina mon offre, il avait hâte de rentrer pour terminer sa toile dans sa chambre avant la tombée du jour.

*

Circulaire du 5 juillet 1890, du ministre de l'Instruction Léon Bourgeois

« *… les punitions auront toujours un caractère moral et réparateur. Le piquet, les pensums, les privations de récréation, sauf l'exception des retenues du jeudi et du dimanche prévues à l'article suivant, la retenue de promenade, sont formellement interdits.* »

*

Mon père fut comblé par le tableau offert par Vincent, qui donnait à voir notre jardin sous un jour si merveilleux. Rien ne pouvait lui faire plus plaisir que ce cadeau, et il donna à Paul des détails sur sa composition, qu'il imaginait puisqu'il avait sombré dans les bras de Morphée quand Vincent l'avait peint. Je n'ai pas osé avouer que Vincent me l'avait offert – à moi et pas à lui –, il aurait trouvé cela bizarre et inconvenant. Revendiquer la propriété d'une toile n'a pas de sens quand on a le privilège de l'avoir en face des yeux : celui qui la possède est celui qui la regarde, et je m'en délecterai en me levant et en me couchant, il me suffit de savoir que c'est à moi que Vincent l'a donnée. Ce sera notre secret. Je n'ai pas non plus évoqué notre promenade sur les bords de l'Oise et notre rencontre avec Paul. Et puis quoi dire, quand on sait que l'on ne sera pas comprise ? Que le moindre propos sera déformé. Il ne devait y avoir aucune place pour le doute ou l'ambiguïté sur notre relation.

Je n'avais pas prévu que mon père me le subtiliserait aussitôt, trouvant que ce n'était pas une bonne idée de l'accrocher dans ma chambre, alors qu'il serait mieux dans son bureau, avec ses pairs, aux côtés de Cézanne, Renoir et Pissarro. Sur le coup, quand il me l'a enlevé, j'ai failli me révolter et revendiquer mon bien, mais le frisson que j'ai ressenti à cet instant m'en a empêchée, j'étais tétanisée. J'ai assisté sans prononcer un mot à l'installation du tableau dans son bureau, sur le plateau de la cheminée, entre les deux fenêtres. Quand mon père me demanda ce que j'en pensais, je me gardai de lui répondre qu'il était horriblement placé, terni par la lumière indirecte, écrasé par le remous de la lampe à pétrole qu'il déplaçait pour trouver le meilleur angle d'éclairage et il a pris ma réserve pour un acquiescement. À cet endroit, à cet instant, devant cet homme qui se félicitait d'avoir obtenu cette toile étincelante pour le prix d'un repas, celle-ci avait soudain perdu son éclat et son rayonnement, elle paraissait terne et fade.

– Il a du talent, ce garçon, vous ne trouvez pas ? Et il va m'en faire d'autres. En échange du prix de mes consultations, et du service que je lui rends en le recevant chez moi, même s'il n'est pas trop malade. Je vais agrandir ma collection à peu de frais. Je n'ai pas souvent acheté de tableaux ; à Sisley et à Renoir, c'est tout. J'ai soigné la mère de Pissarro, sa femme et ses enfants, la petite amie de Renoir, et tant d'autres encore, et pour leur rendre service, parce qu'ils étaient démunis et que je suis un amateur éclairé, j'ai accepté qu'ils me payent avec leurs œuvres. C'est pour cela que je ne suis pas riche, parce que j'ai toujours aimé et soutenu les vrais créateurs, j'ai rendu des services à Cézanne, j'ai même prêté de l'argent à Monet et à Guillaumin, à une époque où personne ne leur accordait de crédit. Un jour, on reconnaîtra leur talent, on saura le rôle que j'ai tenu et l'amour que j'ai eu pour ces grands artistes.

Mon père excellait à se montrer dans une position avantageuse et pour ce qu'il n'était pas : un personnage important, indispensable, généreux, un confident. Son attitude avec *ses* peintres ressemblait à celle qu'il avait avec mon frère et avec moi. Il se disait proche des impressionnistes parce qu'à ses yeux ils incarnaient le progrès dans l'éternel combat des modernes contre les anciens, et que se revendiquer de ce mouvement voulait dire qu'il était clairvoyant et visionnaire, et qu'il prenait date dans la marche du temps. La vérité est plus prosaïque, il se donnait le beau rôle à peu de frais, ni mon frère ni moi ne pouvant le contredire, et surtout, il n'a pas été l'ami de ceux dont il revendiquait l'attachement; il collectionnait indistinctement tout ce qu'on lui proposait en échange de ses consultations et ordonnances : des croûtes infâmes et des raclures de chevalet dont aucun brocanteur n'aurait voulu. Il se trouve que les impressionnistes étaient les plus démunis des peintres, ils ne vendaient pas leurs toiles et ils étaient ravis de trouver un médecin qui accepte de se faire payer ses consultations en tableaux. S'il aimait les impressionnistes, eux, de toute évidence, ne l'aimaient pas.

Mon père s'y reprit à trois fois pour rédiger un mot à l'intention de Vincent, pour l'inviter au déjeuner dominical. Il appela Louise pour qu'elle aille le porter, mais elle œuvrait dans la cuisine. Elle ne vint pas sur-le-champ et il en parut agacé. Je me proposai pour le lui remettre, il accepta sans sourciller.

*

La Lanterne, 5 juin 1890

« ... *Le métropolitain revient sur l'eau... Une ligne centrale partirait de Puteaux pour aller rejoindre la gare de Lyon en passant par l'Arc de triomphe, la place de l'Opéra... Si nos renseignements sont exacts, M. Eiffel aurait d'ores et déjà rétrocédé la concession toute gracieuse de l'État, sauf ratification des Chambres, moyennant la bagatelle de trois millions sept cent mille francs... Quant au tracé qui aura été adopté, il soulèvera de vives réclamations, car au premier abord il paraît rendre plus de services aux grandes Compagnies qu'à la population parisienne.* »

*

Depuis le temps que nous habitions à Auvers, je n'avais jamais mis les pieds au Café de la Mairie ; à cette époque cette idée ne m'aurait pas traversé l'esprit, les femmes n'allaient pas dans les cafés sans être accompagnées. Ou alors c'étaient des femmes de mauvaise vie. Le Café de la Mairie tenait aussi un négoce de vin au détail qui attirait les boit-sans-soif des environs, il était fréquenté par des ouvriers et des journaliers agricoles, et aucune personne de bonne condition ne s'y serait aventurée. Il n'avait pas mauvaise réputation, pas une bonne non plus. Gustave Ravoux l'avait repris récemment et l'avait transformé en auberge où il hébergeait quelques peintres dans des conditions spartiates. Pour une raison que j'ai toujours ignorée, mon père et lui ne s'entendaient pas, ils s'ignoraient et, quand ils se croisaient, ne se saluaient pas.

Je m'arrêtai à proximité de la mairie, mais je n'aperçus pas Vincent parmi les consommateurs attablés à l'extérieur et j'appréhendais de devoir pénétrer dans cet établissement. Une gamine de treize, quatorze ans aux cheveux blonds apporta une chopine à un des journaliers assis sur une chaise devant l'auberge et bavarda avec lui. Je la rejoignis et lui demandai si Vincent était là, elle me répondit aimablement et se proposa de me mener à lui. Je la suivis tête baissée, nous traversâmes une grande salle mal éclairée, meublée de longues tables avec des bancs, où des hommes discutaient à voix basse en fumant, une odeur de ragoût mijoté enveloppait les lieux. La jeune fille me conduisit au deuxième étage, sous les toits, et me désigna la porte de Vincent, puis me salua et redescendit. Je frappai deux coups, je dressai l'oreille, j'insistai et cognai avec énergie. Vincent ouvrit, il avait une pipe à la bouche, tenait sa palette d'une main et trois brosses en épi de l'autre. Il ne parut pas autrement surpris de me voir.

– Vous peignez ici ! À cette heure ? demandai-je.

– Il faut bien finir, non ? Il y a des petites choses à bouger.

– Je peux voir ?

Il s'effaça pour me laisser passer et je pénétrai dans

son antre, une misérable pièce mansardée étouffante de sept ou huit mètres carrés aux murs de chaux lépreux, éclairée par une lucarne qui diffusait une pauvre lumière sur son chevalet, il ne devait pas voir grand-chose pour peindre. Un lit étroit défait, une coiffeuse et un placard d'angle pour seuls meubles. Des tableaux, des dessins et des carnets de croquis s'entassaient partout, des toiles étaient glissées sous le lit, l'une d'elles séchait, posée sur le drap, il y avait une odeur douceâtre, un peu écœurante, de térébenthine et de tabac mélangés.

– Vous travaillez beaucoup.

– Je fais une toile par jour, et une foule de dessins. Quand je ne peins pas, c'est une perte de temps. Si je le pouvais, je n'arrêterais jamais de peindre. Je rêve parfois que je passe mes jours et mes nuits à travailler. Je me dis que si j'y arrivais, je peindrais mieux, plus fortement, et j'atteindrais le point ultime de la peinture, qui rendrait le reste inutile. Et enfin, je serais libre et heureux. Mais il faut bien s'arrêter, et vivre.

– Tenez, c'est pour vous.

Je lui tendis le billet de mon père. Il ouvrit l'enveloppe et prit connaissance de l'invitation.

– Avec plaisir, dit-il. C'était inutile de le faire avec un mot.

– On fait toujours ainsi dans la bonne société. Et vous savez pourquoi ? Pour ne pas gêner son invité, parce que c'est plus facile de refuser par écrit que de vive voix.

La mansarde qui était dans la pénombre a été soudain

éclairée, un rayon de lumière s'est posé comme par magie sur le chevalet et j'ai été saisie par cette vision : une toile représentait des maisons de paysans dont les toits de chaume se confondaient avec les prés étagés, et dans le fond, les arbres en vert foncé se livraient à une valse tourmentée et pleine de complicité avec un ciel de nuages bleutés. La toile, qui était grise à mon arrivée, parut animée d'un souffle de vie avec ses arbres et son ciel dansant une sarabande endiablée. Je ne sais combien de temps je suis restée à contempler cette toile.

– C'est un hameau des environs, dit-il dans mon dos, j'aime bien ce coin, c'est vallonné, ça s'appelle Montcel, tu connais ?

J'étais passée cent fois devant ce groupe d'habitations et je n'avais jamais remarqué à quel point elles étaient belles.

– Tu aimes ?

Je me retournai, Vincent était face à moi. Il avait le visage ridé un peu gris, des yeux verts en oblique, des cheveux de cendre, une bouche aux lèvres ourlées et le regard fatigué d'un homme qui a fait le tour du monde et vu des terres lointaines. Il m'a souri, s'est gratté le menton. Je me suis approchée, et je l'ai embrassé. Oui, j'ai posé mes lèvres sur les siennes, j'ai vu qu'il fermait les paupières, et j'ai fait de même.

*

Lettre de Vincent à Théo, 3 juin 1890

« *Je ferai probablement aussi le portrait de sa fille qui a dix-neuf ans, et avec laquelle je me figure aisément que Jo* sera vite amie...* »

*

Mon père a obtenu ce qu'il voulait et, pour cela, n'a reculé devant aucune bassesse. D'abord, il a rempli le verre de Vincent de son bourgogne qui tourne la tête et, malgré ses protestations, l'a fait trinquer à sa santé, à celle de son frère et de son neveu, qui porte le même prénom que lui et qu'il n'a vu qu'une fois, à son retour de Saint-Rémy, puis il l'a resservi, jurant qu'il ne fallait pas être plus royaliste que le roi et que, s'il affirmait qu'il pouvait boire sans crainte, il devait le croire sur parole, surtout quand c'était du si bon vin. Ensuite, il l'a remercié tant et plus pour le tableau qu'il lui avait offert. J'ai vu les traits de Vincent se contracter, et il m'a regardée, un peu perdu. Il a hoché la tête et s'est laissé submerger par les superlatifs que mon père déversait à foison et qui eurent raison de ses réticences. Enfin, mon père l'a poussé à s'exprimer, ce n'était pas difficile de l'entraîner sur la voie de sa passion, l'encourageant d'un sourire compatissant, nous prenant à témoin de son génie. Et

---

* Johanna Bonger, surnommée Jo, est l'épouse de Théo.

Vincent a dit sa fascination pour Rembrandt, le plus grand de tous, mais c'est moi qui écris *fascination*, Vincent a parlé d'amitié, oui de l'amitié qu'il avait pour ce peintre mort deux cent vingt ans plus tôt, et qui l'accompagnait chaque jour dans sa démarche. Il avait compris que, dans le portrait moderne, la ressemblance ne s'obtenait plus par un artifice du dessin, une pâle imitation que la photographie apportait mieux, mais par une maîtrise de la couleur et de l'éclairage, un travail sur l'expression et une exaltation du caractère. Mon père a saisi la balle au bond :

– Vincent, ce serait bien que vous fassiez mon portrait, je suis votre homme. Personne n'a jamais fait mon portrait.

Vincent a accepté.

À son arrivée, un peu avant midi, je m'étais précipitée dès que j'avais entendu la cloche tinter, devançant Louise qui venait de sa cuisine et y était retournée en me voyant. J'avais ouvert à Vincent qui m'avait saluée d'un signe de tête, il avait enlevé la pipe de sa bouche. Il portait son sac en bandoulière, tenait une grande toile blanche sous un bras et son chevalet plié sous l'autre.

– Comment va, Marguerite ? Tu es partie si vite. On n'a pas eu le temps de…

– Il ne s'est rien passé hier, rien.

Dès que mes lèvres avaient touché les siennes, je m'étais sauvée, comme une bécasse qui a ouvert par mégarde la porte de l'enfer et qui a peur d'être consumée sur-le-champ, et j'avais encore plus honte de ma fuite que de m'être laissé emporter par mon inclination. Je n'aurais pas su expliquer ce que j'avais ressenti.

– Pardonnez-moi.

– De quoi ?

Je n'eus pas le temps de lui répondre, mon père nous avait rejoints et, prenant Vincent par l'épaule, comme s'il retrouvait un ami et non un patient, le conduisit dans son bureau où ils s'enfermèrent pendant une petite heure.

*

Lettre de Vincent à Théo, juin 1889 (597)

« *Ainsi ce que seul ou presque seul Rembrandt a parmi les peintres, cette tendresse dans les regards d'êtres, que nous voyons dans les pèlerins d'Emmaüs, soit dans la fiancée juive, soit dans telle figure étrange d'ange ainsi que le tableau que tu as la chance de voir, cette tendresse navrée, cet infini surhumain entr'ouvert et qui alors parait si nature, à maint endroit on le rencontre chez Shakespeare.* »

*

Vincent a commencé le portrait de mon père le lundi 2 juin. Ce jour-là, j'étais seule avec eux, Paul étant reparti la veille pour son lycée et Louise étant allée retrouver une cousine de passage à Paris. Mon père aurait aimé prendre un café et bavarder mais ce n'était pas l'intention de Vincent, qui voulut se mettre au travail immédiatement. Il refusa que mon père s'installe dans le jardin, afin que le portrait ne soit pas parasité par la luxuriance de la végétation, il nous expliqua que l'œil ne devait se préoccuper que du sujet, n'avoir ni distraction ni échappatoire. Mon père fut surpris de cette demande mais elle était formulée d'un ton qui ne souffrait aucune contestation.

– Faites-moi confiance, docteur. Je vais faire de vous un portrait dont on se souviendra dans un siècle.

La promesse était trop belle pour que mon père n'y souscrive. Vincent fit le tour du rez-de-chaussée, lentement, examinant chaque recoin, chaque meuble, et finalement opta pour le salon. Il n'aimait pas la veste claire d'intérieur que mon père portait, elle était trop molle, manquait de caractère, et il ne pourrait rien en tirer. Mon père devait-il poser en bras de chemise ? Mais, devant sa réticence, Vincent demanda à choisir une autre veste et tous deux montèrent dans la chambre du premier étage. Quand ils revinrent dix minutes plus tard, mon père était sanglé dans une redingote bleu marine. Vincent le fit asseoir près de la desserte, enleva la corbeille de pommes et, après quelques hésitations, conserva la nappe rouge qui la recouvrait. Il demanda à mon père d'appuyer la tête sur son coude droit et d'avoir un air absent, *de ne regarder nulle part*, puis il installa son chevalet près de la cheminée. Ensuite, il le rapprocha, en deux fois, à moins de deux mètres de distance de la table, fouilla dans son sac, en sortit une palette, des tubes et des brosses, et me demanda de lui apporter un verre d'eau. À mon retour, il avait fini sa mise en place, il se grattait le menton, demandait à mon père de garder la pose et il finit par quitter la maison. Par la fenêtre, je le vis considérer nos plantations dans le jardin avec une extrême attention, il coupa quelques fleurs et revint dans le salon. Il tenait à la main une herbe avec des fleurs rouges.

– C'est une digitale, n'est-ce pas ? demanda-t-il à mon père.

Celui-ci prit la tige, l'examina à la lumière et acquiesça. Vincent mit la fleur dans le verre que je venais de lui donner et le plaça sur la table, au premier plan, dans la perspective du coude. Puis il se dirigea vers la bibliothèque, examina les rayonnages en passant sa main sur la tranche des ouvrages, fit la moue et s'empara de deux livres qu'il disposa à proximité du coude de mon père.

– Je veux faire de vous un portrait à ma façon, mais à l'ancienne aussi. La digitale dira que vous êtes médecin, parce que cela ne se voit pas sur votre visage, et les livres montreront que vous aimez les choses de l'esprit. Mais les couvertures ne seront pas de cette couleur, elles seront jaunes, ce sera indispensable d'avoir cette note de couleur pour contrebalancer le bleu de la veste.

Plus tard, je ferai apparaître sur la tranche *Germinie Lacerteux* et *Manette Salomon* des frères Goncourt, ce sont deux romans que j'apprécie particulièrement, et ce sont surtout des livres jaunes.

Mon père n'avait lu ni l'un ni l'autre, mais en avait entendu dire le plus grand bien. Vincent promit de les lui offrir.

– Demain, poursuivit-il, quand je serai tranquille, je vous placerai sur un fond de collines bleues, ondulées, comme un paysage du Midi. Appuyez bien votre joue contre votre poing, laissez peser votre tête.

Vincent positionna la toile en portrait, pressa le contenu de plusieurs tubes sur sa palette ; je m'assis en arrière, sur la banquette, avec la ferme intention de le regarder peindre et de m'inspirer de sa manière, moi qui n'arrivais à rien d'heureux. Vincent tardait à commencer, peut-être se concentrait-il ; je pris note qu'il fallait se recueillir avant de se lancer. En me penchant un peu sur le côté, je pouvais voir son profil d'aigle, quelque chose semblait le déranger dans sa composition.

– Je voudrais que vous ayez l'air mélancolique, docteur. Pas un visage absent ou figé, mais une expression navrée. Laissez-vous aller, abandonnez-vous.

Il s'approcha de mon père, décala un peu son coude de l'axe de son corps, mon père se mit à pencher.

– C'est mieux. Ne bougez pas, j'en ai pour une seconde.

Il sortit du salon et revint peu après en tenant la casquette blanche de mon père qu'il lui tendit.

– Vous n'allez pas me peindre avec ça, c'est la gapette que je mets quand je vais à la pêche avec mon fils.

– N'ayez aucune crainte, docteur, ce sera un portrait amical.

Il lui posa la casquette sur le crâne, l'avança un peu.

– Reprenez la pose, s'il vous plaît.

Il y eut un moment de flottement, je crus que mon père allait se lever et l'envoyer promener, lui et ses desiderata singuliers, avec sa toile blanche qui ne serait jamais peinte, sa palette toute de bleue chargée et son chevalet de campagne, et que lui, docteur Gachet, qui avait une si haute opinion de lui-même, lui dirait ce qu'il pensait des peintres alambiqués d'aujourd'hui et de leurs tableaux modernes. Mais il ne dit rien ; à deux reprises, il leva les yeux vers le rebord de sa casquette, poussa un long soupir et se résigna. Il s'installa dans sa pose avec un naturel tel que Vincent n'eut pas besoin de lui donner d'autres indications, comme s'ils partageaient totalement la conviction de la toile à venir. Je pris note, dans un autre coin de ma tête, que le modèle et l'artiste doivent être en accord total et que cette symbiose est au cœur des œuvres parfaites. Ce qui me surprit, c'est que Vincent se lança sans prévenir. Sans esquisse, ni étude, sans dessin préparatoire.

Quand je repense à cette séance de pose, je ne me souviens de rien. Ni de sa durée, ni de ce qui a pu se dire tout au long, ni même si nous nous sommes parlé, ni des hésitations que Vincent aurait pu avoir ou de la manière dont il s'y est pris pour créer ce chef-d'œuvre. Je me rappelle seulement qu'il l'a peint d'un trait, sans s'arrêter, qu'il a commencé par tracer la ligne d'un horizon que lui seul voyait, puis il s'est attaqué à l'ovale du visage.

À cette époque, le cinéma n'avait pas été inventé, et je le regrette, j'aurais tellement aimé enregistrer sur une pellicule Vincent en train de peindre. Il a peint mon père en deux heures et demie, et a achevé son travail dans sa mansarde, le lendemain. Ce que je veux vous dire à cette heure, c'est que Vincent n'a peint qu'un seul portrait de mon père. Un seul.

*

Lettre de Vincent à Théo, 4 juin 1890

« *Je travaille à son portrait, la tête avec une casquette blanche, très blonde, très claire, les mains aussi à carnation claire, un frac bleu, et un fond bleu cobalt, appuyé sur une table rouge, sur laquelle un livre jaune et une plante de digitale à fleurs pourpres. Cela est dans le même sentiment que le portrait de moi, que j'ai pris lorsque je suis parti d'ici... M. Gachet est absolument fanatique pour ce portrait.* »

*

Vincent nettoya ses brosses avec la plus grande minutie et rangea ses affaires dans son sac. Mon père, ravi, contempla son portrait inachevé et posa des questions auxquelles Vincent ne répondit pas : quand serait-il terminé ? Pourquoi la digitale semblait-elle aussi flapie, alors qu'elle était pleine de fraîcheur ? Avait-il vu *Le Penseur* de monsieur Rodin et avait-il rencontré ce grand sculpteur ? Vincent secoua la tête.

– Je vais rentrer. Il y a encore du travail sur ce tableau, il sera fini demain.

Il semblait las, avait les traits tirés et le teint gris. Il m'a demandé un verre d'eau, j'ai apporté une carafe, il s'est servi deux grands verres à la suite. Il a allumé une pipe, a mis son feutre. Je l'ai secondé pour plier son chevalet et visser les pieds et je l'ai raccompagné à la porte.

– C'est un tableau magnifique. Vous pouvez en être fier, très fier même.

– Oui, c'est un beau tableau. Les portraits sont toujours plus fatigants à peindre que les paysages, cela mange toute mon énergie.

– Je vous en prie, Vincent, prenez-moi comme élève. J'ai tellement besoin d'apprendre. Je veux prendre des cours mais c'est impossible. Avec vous j'y arriverai, j'en suis certaine.

– Je n'y connais rien, Marguerite, je ne suis pas péda-

136

gogue, je serais un mauvais professeur, je n'arrête pas d'essayer des choses et de recommencer, j'improvise sans arrêt, je n'ai aucune certitude. Va aux Beaux-Arts, ils t'apprendront.

– C'est interdit aux femmes.

– Ah ! Je ne savais pas. Et à l'académie Julian ?

– Je ne sais pas où c'est.

– C'est un atelier à Montparnasse. Ils prennent des femmes, c'est sûr.

– Mon père ne voudra pas me payer les cours.

– Non, je ne veux pas, et je n'ai pas le temps, ne compte pas sur moi.

Il est parti sans se retourner. Je l'ai regardé s'éloigner, il a disparu au coin de la rue.

*

La Lanterne, 24 février 1890

« *C'était hier, samedi, le vernissage du salon des femmes peintres... Comme d'habitude, ce sont les tableaux de fleurs qui sont les plus nombreux... Dans ce genre, les femmes excellent... Aussi pourquoi les femmes n'ont-elles pas la sagesse de s'en tenir à ce qui est dans leurs cordes ? Pourquoi faut-il qu'elles veuillent se lancer dans la grande peinture ou même dans le portrait ?* »

*

137

J'avais oublié deux rendez-vous du mercredi chez Hélène, sans la prévenir, et même si elle ne s'en offusquait pas, je ne voulais pas la blesser en lui faisant à nouveau faux bond, et puis cela me ferait du bien de la revoir. Je dérivais, je chavirais, et Hélène, qui ne rêvait jamais les yeux ouverts, pourrait me ramener sur la terre ferme. La chaleur était accablante, mais les nuages ne s'arrêtaient pas au-dessus de nos têtes.

En traversant le village à petits pas, je le cherchai en vain, je fis un tour sur les berges, poussai vers Montcel qui semblait avoir ses faveurs, mais Vincent avait disparu. Je tournais en rond et fis demi-tour parce que, soudain, je sentis mes jambes vaciller ; il n'avait pas besoin de moi, il avait sa peinture qui l'occupait tout entier et si je le trouvais, je le dérangerais. Et puis je me dis : tant pis, je verrai bien, il faut forcer le destin, il sera heureux de me voir, nous parlerons, je me ferai petite dans un coin, il oubliera ma présence. Ou peut-être avait-il posé son chevalet à l'abri de mon regard, et qu'il s'amusait de me voir passer et repasser ? Si cela était, ce serait terrible. Mais je ne crois pas, ce n'est pas son genre, et ce n'est pas mieux, il est trop attaché à sa peinture pour avoir l'idée de jouer avec moi.

Hélène avait mille choses à me raconter, il n'était pas nécessaire que je relance la conversation pour qu'elle m'entretienne des mondanités de ses sœurs et de sa mère, dont je me contrefichais comme d'une guigne.

Elle m'avait accueillie avec un sourire de connivence et une nouvelle de la plus haute importance, qu'elle gardait sur le cœur depuis deux semaines et laissa en suspens, quelque chose de très important et qui allait changer ma vie, jura-t-elle, elle me fit languir, avec des : *Plus tard, rien ne presse.*

Après le déjeuner, elle se recoiffa, s'installa dans la bergère de son salon et se déclara prête pour notre séance de dessin, mais, pour la première fois, je refusai de la portraiturer dans cette position et lui proposai de s'installer dans le jardin, sur le banc près du puits, ou sur une chaise près du bosquet de buis, ou même debout, pourquoi pas ?

– Il fait une chaleur à crever, protesta-t-elle. Nous serons mieux à l'intérieur.

– Ce serait bien de se confronter à la nature, à la vie extérieure. Tu n'as pas envie de changer de pose ?

– Pas vraiment. Quel intérêt ? C'est toujours moi que tu dessineras. Et puis, il va pleuvoir. Nous serons obligées de rentrer dans la précipitation.

– Les nuages ne font que passer. Il ne pleuvra pas. Allez, profitons du jardin.

Je sortis sans lui laisser le temps de répondre, pris la chaise, testai divers emplacements et, finalement, la disposai devant un massif de roses rouges. Hélène s'assit sur la chaise, je lui demandai de se caler contre le dossier, épaules droites, de croiser les mains l'une sur l'autre et d'afficher un air impassible. Puis je m'assis sur un tabouret, en face d'elle, mon carnet en appui sur mes cuisses, et me mis à travailler à la sanguine. Je fis comme j'avais vu faire Vincent et traçai une ligne d'horizon aux deux tiers de la page. Ce simple trait me libéra et organisa le dessin à venir dans ma tête.

– Tu ne veux donc pas savoir la nouvelle que j'ai à t'annoncer ? demanda-t-elle du bout des lèvres, après deux minutes. Cela concerne ton voyage à New York.

Je cessai de dessiner, relevai légèrement la tête, et elle vit le sourire que je ne pus réprimer.

– Que se passe-t-il ? Tu as trouvé une solution ?... Tu as renoncé à ce projet fou ?

– Je ne suis pas sûre d'aller à New York, j'irai sans doute, les choses sont confuses dans ma tête. Je crois que j'ai rencontré quelqu'un.

– Que veux-tu dire ? Ou tu as rencontré, ou tu n'as pas rencontré.

– C'est que j'ignore ce que cela va devenir.

Hélène se leva, fit venir sa chaise avec elle et s'assit face à moi. Elle regarda de part et d'autre, se pencha.

-- C'est Georges ?

– Si c'était lui, je n'aurais pas dit que j'avais rencontré quelqu'un.

– Qui est-ce, alors ?

– Un peintre, que mon père soigne à Auvers.

– Il est malade !

– Pas trop. Un peu lunatique, c'est tout.

– Il est connu ?

– Il est très apprécié, mais il n'a rien vendu, c'est si difficile.

– Et que s'est-il passé entre vous ?

– Rien. Enfin, si, je l'ai embrassé.

– Quoi !

– Une fois, juste une fois.

– Tu es amoureuse de lui ?

*

La Lanterne, 12 février 1890

« *Le théâtre de la Monnaie, à Bruxelles, a donné hier la première représentation d'un opéra français :* Salammbô, *en cinq actes et sept tableaux, d'après le célèbre roman de Gustave Flaubert... La musique est de M. Ernest Reyer, l'auteur applaudi de* La Statue *et de* Sigurd.

Salammbô *a été donné devant une salle splendide. Aucune place n'était vide, sauf la loge royale, à cause de la mort du duc de Montpensier. On vendait les fauteuils 100 francs, et l'on faisait queue depuis dimanche soir... Le nouvel opéra a été accueilli avec énormément de sympathie, presque avec de l'enthousiasme. Pour s'expliquer ce succès, en dehors du mérite de l'œuvre, il faut tenir compte de deux raisons : 1° Le public belge possède des goûts moins sévères que le public parisien. 2° Il entre, dans le bon accueil fait à* Salammbô, *la pensée d'une*

*protestation contre l'Opéra de Paris, qui a refusé ou
négligé d'accueillir l'ouvrage.* »

*

La pluie qui menaçait depuis si longtemps commença
à tomber à mon retour à Auvers. J'espérais y échapper
mais, à la sortie de la gare, je dus ouvrir mon parapluie.
J'avançais tête baissée, quand, à proximité de notre maison, une voix m'interpella :

– Hé, Marguerite !

Vincent s'abritait tant bien que mal sous le porche
des Maurel.

– Vincent ! Comment allez-vous ?

– Je suis passé chez toi, il n'y avait personne, je me
suis dit : peut-être ne veut-elle plus me voir.

– Le mercredi, je vais chez mon amie Hélène, et…
Ce matin, je vous ai cherché et je ne vous ai pas vu.

– J'ai découvert un coin magnifique dans la campagne, pas loin d'ici, j'ai beaucoup travaillé, en rentrant
je me suis fait attraper par la pluie, je ne voulais pas
mouiller ma toile.

– Mettez-vous à l'abri, vous êtes trempé.

Je l'ai protégé comme j'ai pu sous mon parapluie,
mais il n'y avait pas assez de place pour nous deux et sa
toile. Il la tenait en l'air pour éviter qu'elle soit tachée
par les éclaboussures de l'ondée.

– Je peux vous raccompagner à l'auberge, ai-je proposé. Vous pouvez la recouvrir de votre veste. En nous dépêchant...

– Cela ne la protégera pas. Je préfère attendre ; à l'abri, elle ne risque rien. C'est que la toile n'est pas de bonne qualité.

Je tournais mon parapluie dans tous les sens pour trouver le meilleur angle de protection, mais quand je le couvrais, c'était moi qui prenais l'eau, et quand je me mettais à l'abri, c'était lui et la toile qui étaient arrosés.

– Tant pis, prenez le parapluie, moi je ne crains rien.

Je lui ai donné le parapluie, et sa toile a été la seule à être épargnée par l'averse. L'eau me dégoulinait du visage, mon bibi de satin noir n'était pas imperméable et mes cheveux furent rapidement imbibés, comme ma cape et ma robe. Mais je m'en fichais, il m'a prise par l'épaule, nous étions collés l'un à l'autre, je ne sais plus le temps que nous sommes restés ainsi, dans cette rue désertée, à l'abri du monde, aspergés, blottis. Il avait le souffle court, j'ai senti son bras qui m'attirait vers lui, il m'a embrassée, sous le porche qui ne nous abritait ni de la pluie ni du vent, je l'ai pris dans mes bras et je l'ai serré contre moi, comme je n'avais jamais serré personne. Ce baiser a été un bonheur infini, j'ai eu l'impression d'être un oiseau qui s'envole très haut dans le ciel.

*

La Lanterne, 14 février 1890

« *Le tribunal correctionnel de la Seine a condamné le duc d'Orléans, le fils du prétendant royaliste, prétendant lui-même, à deux années d'emprisonnement pour violation de la loi qui interdit l'accès du territoire français aux héritiers politiques des familles ayant régné sur la France... On peut considérer, dès à présent, que l'héroïque amateur d'asperges en branches en a... pour ses deux ans de prison... Ce serait l'abdication de la République en face de l'affirmation de la monarchie par l'état-major royaliste... Au gouvernement de voir jusqu'à quel point il lui convient de courber la tête devant les audacieuses injonctions orléanistes.* »

*

J'ignore de quoi demain sera fait, si mon imagination, mon espoir me joueront un vilain tour, et si je m'enflamme inutilement, mais cette incertitude, ces rêves en suspension, ce pied qui traîne au bord du précipice me trouvent calme, presque sereine, comme si je ne faisais qu'accomplir mon destin et qu'il soit vain de vouloir y échapper. Je n'ai nulle intention d'être raisonnable, ni envie de brider l'élan de mon cœur, et encore moins d'assumer la destinée qui m'était tracée ; je veux, au contraire, faire ce qui est en mon pouvoir pour découvrir la lumière, et tant pis si cela doit m'aveugler, j'ai la sensation de me réveiller d'un long engourdissement, de respirer enfin, et d'être devenue moi-même.

Le lendemain, à la tombée du jour, Vincent vint frapper à la porte. Louise lui ouvrit et le fit attendre à l'extérieur, sans le prier d'entrer, lui fermant le battant au nez. Elle ne l'aime pas et ne dissimule pas son aversion.

– Y a l'uhlan qui t'attend dehors ! lança-t-elle avec mépris.

– Il n'est pas allemand, Louise, je te l'ai dit, il est hollandais.

– C'est pareil !

– Je t'ai expliqué que...

– Moi, je n'oublie rien ! Et tu ferais bien de t'en souvenir !

Ses yeux sont devenus noirs, si elle l'avait pu, elle m'aurait lancé des flèches. Elle m'a tourné le dos, elle est repartie dans sa cuisine et a claqué la porte derrière elle. Je n'avais pas le temps de recommencer ma leçon, d'autant que la première n'avait servi à rien. Pour les gens de sa génération, c'était un sujet inabordable. Je suis allée ouvrir à Vincent, qui attendait en fumant sa pipe.

– Je suis désolée. Excusez Louise, elle est persuadée que vous êtes allemand.

– J'ai l'habitude, c'est mon fichu accent. À Arles, ça a été pire, mais je m'en fiche.

Il se tenait là, face à moi, son feutre à la main, me dévisageant sans rien dire, et nous sommes restés ainsi un moment.

– Il y a un problème ?

– Il y a un ami peintre à la pension Ravoux, qui a vendu un tableau. Il fait une petite fête ce soir, alors je me disais que tu aurais pu venir dîner, c'est sans prétention et...

– Ce soir ? À la pension Ravoux ?

Il fit oui de la tête.

– Ce ne sera pas possible, Vincent. Je ne peux pas. Pas le soir. Pas à la pension Ravoux.

– Je me doutais bien... Tant pis... Une autre fois peut-être.

Il a fait demi-tour, je l'ai regardé s'éloigner et disparaître.

*

Après la guerre franco-prussienne de 1870, l'annexion de l'Alsace et de la Moselle par l'empire allemand engendre un esprit de revanche virulent dans la population française et le personnel politique. En 1892, le Messin Paul Verlaine publie l'« Ode à Metz » :

... Nous chasserons l'atroce engeance
Et ce sera notre vengeance
De voir jusqu'aux petits enfants,

Dont ils voulaient, bêtise infâme !
Nous prendre la chair avec l'âme,
Sourire alors que l'on acclame
Nos drapeaux enfin triomphants !

*

Comme d'habitude quand nous sommes toutes les deux, nous avons dîné dans la cuisine, je n'avais pas faim, je n'arrêtais pas de penser à lui, j'imaginais ce qu'il pouvait faire à cette heure, j'ai dit : *Je me sens fatiguée, je vais me coucher de bonne heure,* Louise a paru ravie de cette décision, m'a souhaité la bonne nuit, a fini de débarrasser, puis je l'ai entendue rejoindre sa chambre au deuxième étage. Elle aime se coucher tôt, s'endort aussitôt allongée, sans que rien ne l'éveille jusqu'aux premières lueurs du soleil, il est inutile de l'appeler, son sommeil est si profond qu'il faut la secouer pour l'en sortir. J'ai attendu un long moment, j'ai ouvert la porte avec mille précautions et tendu l'oreille. Je n'entendais que ma respiration rapide et sentais le battement de mon cœur qui tambourinait au fond de ma poitrine. J'ai descendu une à une, comme une équilibriste sur son fil, les marches qui gémissaient sous mon poids, leur grincement résonnait dans la cage d'escalier. Quand j'ai atteint le hall d'entrée, j'ai cru que mon cœur allait éclater, j'ai attendu, aux aguets, dans le noir, les yeux fermés, mais il n'y avait que le silence ami, mon cœur battait si fort que j'ai posé la main dessus et lui ai dit de se calmer.

La nuit était douce, avec un quart de lune qui apparaissait entre les nuages, et elle m'appartenait, comme le village désert. Je n'avais pas besoin de lumière pour me guider. Je me suis élancée sans hésiter. À proximité du chemin des carrières, j'ai entendu un homme qui toussait et des pas qui montaient dans ma direction, je me suis blottie dans le renfoncement d'un porche, épousant le contour et la couleur grise du mur. Un paysan en sabots est passé à cinq pas, s'il avait levé la tête, il m'aurait aperçue mais il avançait courbé en deux en crachant ses poumons.

L'auberge Ravoux était la seule maison éclairée, trois clients étaient attablés à l'extérieur, je me suis avancée, ils ne me remarquèrent pas, occupés qu'ils étaient à leur discussion. À cet instant, j'ai pris une décision difficile et j'ai jeté par terre ma réputation, la piétinant sans vergogne, me jurant d'être pour le reste de ma vie insensible aux regards narquois et à l'opinion d'autrui : j'ai décidé de pénétrer dans le monde interdit. Finalement, cette décision s'est avérée sans suite car, dans la grande salle, il y avait peu de clients, et ni le père Ravoux ni sa fille ne m'ont prêté la moindre attention. À vrai dire, ils se fichaient de ma condition et du qu'en-dira-t-on. Vincent dînait seul dans la salle du fond, touillant un bol de soupe lentement, faisant tremper son pain et mastiquant avec application. Il a levé la tête et n'a pas eu l'air surpris de me voir.

– Comment va, Marguerite ?

– La fête est finie ?

– Ils ont trouvé qu'on mangeait trop mal ici, et que l'ambiance était triste, ils sont allés au bord de l'Oise, il y a une guinguette où… Moi j'ai préféré rester, je ne suis pas malheureux tout seul. Tu as mangé ?

– Je n'ai pas faim.

– Assieds-toi. On va fêter ça.

– Quoi ?

– Ben toi, ici.

Je me suis assise sur le banc en face de lui. Il s'est dressé.

– Adeline ! a-t-il crié. Amène une chopine et un verre.

La jeune fille blonde qui m'avait accueillie a déposé la bouteille et m'a souri, il m'a servi un grand verre de vin.

– Il n'y a que le vin qui est bon ici. À la tienne.

Je levai mon verre, et nous trinquâmes.

– À la vôtre, Vincent, je vous souhaite tout le succès que vous méritez.

– Oh, je ne suis pas inquiet. Maintenant que la porte a été ouverte, avec un peu de mal il est vrai, personne n'empêchera la peinture d'exister comme elle doit.

– Parfois, les journalistes ont la dent dure avec la

peinture moderne, ne me dites pas que cela ne vous touche pas.

– Ce qu'on dit de moi, en bien ou en mal, ne m'intéresse pas. Ceux qui avancent dépassent toujours ceux qui les regardent passer. Quand un journal dit des bêtises sur la peinture d'aujourd'hui, je me dis : *Les pauvres.* C'est tout. Ils ne méritent aucun autre qualificatif. Tant pis pour eux, la peinture, c'est le bonheur, non ? Ce qui m'importe, ce n'est pas d'être reconnu et célèbre mais de pouvoir peindre comme je veux. Moi, je n'ai pas besoin d'argent pour être heureux.

– Vous êtes pourtant dans une situation difficile.

– Mon frère me donne de l'argent. Il est mon marchand. Pour lui, je suis un investissement. Il n'est pas fou, mon frère, c'est un homme d'affaires. Tôt ou tard, il gagnera de l'argent avec ma peinture. Il le sait. Et moi aussi. Entre nous, les relations sont claires. En attendant, je vis assez bien.

– Je vous admire, vous travaillez dans des conditions si difficiles.

– Je peins, Marguerite, je peins, et chaque jour qui se lèvera pour moi sera pareil, j'ai peint toute la journée et demain, je peindrai, et celle d'après encore, sans me préoccuper d'autre chose que de peindre, tu ne trouves pas que j'ai de la chance ? Combien aimeraient être à ma place ? Mon frère me donne cent cinquante francs par mois, tu te rends compte ? C'est une somme ; et même si, parfois, j'ai du mal à joindre les deux bouts, quelle importance ? À Arles, j'avais un ami, un facteur, il avait trois enfants à charge, et il faisait vivre sa famille avec son traitement de cent trente-cinq francs par mois. Alors, moi, avec mes cent cinquante, je n'ai pas à me plaindre*.

*

La Lanterne, 21 mars 1890

Les Indépendants. *La sixième exposition annuelle*

« *Les impressionnistes règnent en maîtres aux Indépendants. Une des salles, celle du fond, est même entièrement occupée par leurs œuvres, dont quelques-unes sont poussées aux dernières limites de l'excentrique, nous pouvons bien dire du grotesque. Quand on entre dans cette salle, l'œil est impressionné d'une façon brutale, presque douloureuse. Toutes ces couleurs intenses, rouge, violet, indigo, frappent la rétine comme avec des aiguilles. La sensation qu'on éprouve peut du reste se comparer assez bien à celle que produisait sur une oreille délicate la musique du théâtre annamite, à l'esplanade des Invalides. On est aveuglé et ébaubi.*
...Parmi les sept ou huit toiles de M. Luce, nous remarquons une femme à sa toilette qui est vraiment bien

---

* Cent cinquante francs représentent environ 580 euros.

stupéfiante. Dans quel pays, grands dieux, les femmes ont-elles la peau de cette couleur ? Nous voulons espérer pour ce peintre que, malgré son parti pris d'impression- nisme, s'il trouvait un matin sa femme affligée d'une pareille maladie, il n'hésiterait pas à aller chercher le médecin. Et vraiment il y aurait urgence. La fièvre jaune nous paraît seule capable d'abîmer ainsi une pauvre femme.

... Si M. Vincent van Gogh voit la nature comme il la peint, nous le plaignons. Il doit la trouver bien laide. »

*

Vincent alluma sa pipe et tira dessus à petites bouf-fées. Il avait commandé une deuxième chopine, la tête me tournait un peu mais je n'avais pas osé refuser. Il me regardait d'un air étrange, la tête de côté, les lèvres pin-cées, mais ses yeux souriaient. Est-ce qu'il se moquait de moi ? À un moment, on a entendu, venant de la cuisine voisine, le vacarme de bols et d'assiettes qui se brisaient sur le sol, suivi d'une bordée de jurons, Vincent a haussé les épaules, avec fatalisme, et je me rappelle avoir pensé que c'était un homme doux. C'est le mot qui m'est venu à l'esprit.

– Avez-vous songé à ma proposition, Vincent ?

– Laquelle ?

– Mes dessins sont horribles, je travaille mais je n'ai pas de grâce, pas de légèreté, je suis prisonnière à l'inté-

rieur de moi-même. Je bafouille, je copie et c'est tout.
Aidez-moi à me libérer, je vous en prie.

– Que désires-tu, exactement ?

– Je veux travailler avec un maître en qui j'ai une
confiance totale, quelqu'un que j'admire et que je res-
pecte, qui me conseillera, me corrigera, qui me mon-
trera le chemin et m'aidera à découvrir ce qu'il y a de
meilleur en moi.

– Ne compte pas sur moi, je n'ai pas le temps. Va
plutôt chez Julian. Là-bas, il y a de bons professeurs,
c'est académique, mais de qualité.

– Je suis perdue, Vincent, j'ai besoin que l'on me
guide.

– Tu te trompes, je ne serais pas un bon maître, je n'ai
aucune patience, et moi-même j'hésite, je ne sais jamais
à l'avance comment m'y prendre. Comment t'expliquer
ce que j'ignore et qui reste un mystère pour moi ?

– J'ai un peu d'argent, pas beaucoup, mais de quoi
vous payer pour ce travail.

– Je te l'ai dit, j'ai ce qu'il me faut.

Je cherchais d'autres mots pour vaincre sa réticence,
j'avais la certitude qu'il finirait par accepter d'être mon
maître. Il y a eu un silence ; pour me donner une conte-
nance, j'ai fini mon verre de vin, puis je l'ai reposé. Et
là, il a attrapé ma main par-dessus la table, il l'a serrée
dans la sienne, très fort, et pour la première fois, il m'a
souri.

– Viens avec moi, a-t-il dit.

Je sentais la chaleur de sa main, elle était brûlante, pleine de cals et de rugosités.

– Je ne peux pas.

– Je ne te plais pas ?

– Je suis vierge.

Il a ouvert la bouche, m'a fixée d'un air interrogateur, comme s'il ne me croyait pas.

– Je suis vierge, et je ne veux pas avoir de relation à la légère, sur un coup de tête, je ne peux pas tomber enceinte, ce serait une catastrophe.

– Tu as raison, ce serait la dernière des choses à souhaiter, moi je ne veux pas m'embarrasser d'une femme ni d'un enfant, c'est une vie aussi insupportable pour le peintre que pour sa famille. Tous mes amis sont prisonniers aujourd'hui, et malheureux. Il faut être libre de partir au lever du soleil et de revenir quand bon te semble, sans comptes à rendre qu'à sa toile, mais tu sais, si tu ne te libères pas de toi, il y a fort à craindre que tu ne peignes que des croûtes.

Son sourire avait disparu, il regardait à travers moi comme si j'étais transparente. Il tira sur sa pipe, elle s'était éteinte. Il la ralluma.

– Pourquoi tu me dis cela ? demanda-t-il.

– Je veux que vous sachiez tout de moi, qui je suis, ce que j'ai au fond du cœur et que je cache à tout le monde, et ce que je veux aussi.

*

Lettre de Vincent à Théo, été 1887

« *Moi, je me sens passer l'envie de mariage et d'enfants et à des moments, je suis assez mélancolique d'être comme ça à 35 ans lorsque je devrais me sentir tout autrement. Et j'en veux parfois à cette sale peinture. C'est Richepin qui a dit quelque part : "L'amour de l'art fait perdre l'amour vrai."* »

*

Hier j'étais vierge, et aujourd'hui je ne le suis plus. J'imaginais une ivresse irrésistible, une valse vertigineuse, étourdissante, je m'attendais à être emportée par une tempête qui me ferait perdre la tête et oublier la pesanteur terrestre, le corps dévoré par une fièvre ardente, comme un de ces feux de forêt qui transforment un arbre en torche vivante. Ce fut juste douloureux, pénible, et désagréable. Déplaisant, même. Je ne comprends pas pour quelle raison on fait une montagne de ce gigotage fastidieux. Que certaines se pâment avec des minauderies me paraît excessif et trompeur. Monsieur Zola m'a égarée avec ses sous-entendus pleins de mystère et de passion. Lui et bien d'autres. L'amante, c'est sûr, n'y trouve pas son compte.

Heureusement, cette étreinte a peu duré. Maintenant, au moins, je suis une femme, et Vincent y a pris du plaisir, mais il n'est pas du genre à manifester ses sentiments ou sa tendresse. À la fin, nous sommes restés collés l'un à l'autre, comme deux aimants, et de l'avoir blotti contre moi, si épanoui, de sentir le souffle de sa respiration, le battement de son cœur ont été mes seuls plaisirs, il m'a caressé la joue, m'a appelée *mon petit tournesol*, c'est un drôle de nom d'amour, il l'a répété à deux reprises et l'a prononcé avec une telle sincérité que j'en suis encore bouleversée. Il m'a demandé si c'était bien, je n'ai pas voulu le décevoir, et cette réponse a semblé le combler, puis il a levé la tête et a attiré mon attention sur les nuages qui défilaient dans la lucarne à toute vitesse. J'ai vu dans ses yeux, dans son sourire, dans la main qu'il a tendue pour me relever, dans la prévenance dont il a fait preuve en époussetant ma robe, qu'il venait de se créer entre nous un lien magique, unique, qui jamais ne cessera. Je lui ai donné ce que j'avais de plus précieux, il en est conscient. Ce sera notre secret. À partir de cet instant, je suis sa femme. Pour toujours. Pour notre vie. Je suis la seule qui le comprenne, qui l'aime pour ce qu'il est et ce qu'il fait. Et il sait qu'il peut compter sur moi, que je ferais tout pour lui. Il va m'apprendre à peindre, je l'aiderai de toutes mes forces. Il est le plus grand des peintres depuis Rembrandt.

*

Lettre de Vincent à Théo, 4 juin 1890

«*Mais enfin, je vis au jour le jour, il fait si beau. Et la santé va bien, je me couche à neuf heures, mais me lève à cinq heures. J'ai espérance qu'il ne sera pas désagréable de se retrouver après une aussi longue absence. Et j'espère aussi que cela continuera que je me sens bien plus sûr de mon pinceau qu'avant d'aller à Arles. Et M. Gachet dit qu'il trouverait fort improbable que cela revienne, et que cela va tout à fait bien.*»

*

Quand il ne peint pas, Vincent écrit. Étendue sur ce mauvais lit, je le regarde s'escrimer sur la feuille. Il écrit comme il peint, avec frénésie, sans jamais mettre un frein au débordement de son âme, s'abîmant les yeux à la lumière d'une bougie vacillante, racontant à son frère le menu de ses journées, l'avancement de ses toiles, comme s'il faisait le point avec lui-même et mettait au clair ses projets de peinture. *C'est mon marchand, dit-il, j'ai des comptes à lui rendre. Il doit savoir que l'argent qu'il me verse est employé à bon escient et que je travaille consciencieusement pour notre bien commun.* Il dessine aussi, comme s'il ne lui suffisait pas de peindre toute la sainte journée, il illustre son propos par des croquis à la plume, plus vivants et expressifs qu'une longue description. Quand il en a fini avec son frère, il écrit à sa sœur ou à sa mère restées au pays, et à ses amis peintres, et ils lui répondent, décrivant sans se plaindre leur existence de misère, les expédients, le diable qu'ils tirent par la queue, les toiles qui s'entassent, que personne n'achète comme si elles étaient indignes, ils ont l'impression d'être comme Don Quichotte parti à l'assaut des moulins à vent, ils se remontent le moral, s'encouragent, car un jour, bientôt, le paradis s'ouvrira pour eux, les aveugles découvriront la lumière, et ce jour-là, ils seront reconnus, tous, et quand justice leur aura été rendue, que leur peinture magique aura enfin été découverte, les bourgeois achèteront leurs tableaux, l'argent coulera à flots, et ils pourront enfin donner à leur femme et à leurs enfants la vie heureuse qu'ils méritent pour avoir supporté si longtemps ces privations permanentes, ces déceptions incessantes, la tristesse de leur condition et le mépris des nantis. Ils ont entre eux la solidarité des premiers chrétiens partageant la parole révélée, convaincus sans retour que leur art triomphera, que c'est une question de temps, et cette certitude est leur unique réconfort.

*

Lettre de Vincent à Émile Bernard, 19 avril 1888

« *Il y a tant de gens surtout dans les copains qui s'imaginent que les paroles ne sont rien. Au contraire, n'est-ce pas, c'est aussi intéressant & aussi difficile de bien dire une chôse que de peindre une chôse. Il y a l'art des lignes & des couleurs, mais l'art des paroles y est et y restera pas moins. »*

*

Il dormait contre moi, le souffle tranquille, sa main m'enveloppant la poitrine, la nuit noire nous protégeait, j'avais peur de m'assoupir, de me faire surprendre par le jour. Je me suis dressée, Vincent s'est réveillé : *Où tu vas, mon petit tournesol ?* Je lui ai dit qu'il était tard, que je devais rentrer, il a pris mon bras, a embrassé ma main, il m'a attirée vers lui, j'ai serré sa tête sur mon cœur, il me retenait, j'ai insisté, il m'a laissée partir. L'auberge dormait, le village aussi, j'avais peur que l'on me surprenne mais il n'y avait pas âme qui vive et quand je suis rentrée, la maison était silencieuse. Je me suis couchée dans mon lit, le cœur tambourinant encore, je savais qu'à cet instant précis, Vincent pensait à moi, avec autant de force que moi, et que nous étions liés l'un à l'autre par ce qui unit ceux qui s'aiment et se donnent l'un à l'autre sans calcul ni esprit de retour, uniquement pour le bonheur, et parce que c'est leur destin.

*

Lettre de Vincent à Théo, 28 juin 1890

« Hier et avant-hier j'ai peint le portrait de
Melle Gachet que tu verras j'espère bientôt ; la robe est
rose, le mur dans le fond vert avec un point orangé, le
tapis rouge avec un point vert, le piano violet foncé, cela a
un mètre de haut sur 50 de large.
C'est une figure que j'ai peinte avec plaisir – mais c'est
difficile. Il m'a promis de me la faire poser une autre fois
avec un petit orgue. »

*

Vincent a un métier, une vocation vaudrait-il mieux
dire, qui l'accapare à chaque seconde de sa vie, comme
s'il était entré en religion et qu'il était devenu le servi-
teur d'un dieu tout-puissant qui exigerait de ses fidèles
qu'ils l'adorent avec une toile posée sur un chevalet et
qu'ils gardent en permanence leur palette et leurs
brosses à la main comme signes de leur croyance. Ces
néophytes ne vivent que pour l'expression, la forme et
la lumière, ne parlent que de conception, de perspective et de lignes de fuite, tout ce qui n'est pas création
d'images et composition est relégué au tréfonds du pur-
gatoire de leur vie, puisqu'ils ont fait allégeance à la
couleur comme étant la seule vérité révélée dans l'univers, l'unique source d'espérance ici-bas, l'alpha et
l'oméga. Vincent attend tout de la peinture, son bon-

heur sur terre en dépend, il n'espère et n'a besoin de rien d'autre, ce qui n'en participe pas l'ennuie, et c'est du temps perdu.

Mais moi, je connais sa foi, je la comprends, je l'apprécie, même si je ne fais pas encore partie du cercle des élus, je n'attends que de la partager avec lui, prête à m'y consacrer corps et âme, disposée à faire vœu de pauvreté et d'humilité et à n'avoir d'autre avenir que cette passion commune. Je devine la difficulté du chemin, l'âpreté de notre condition, et je l'admets, je me donne à elle, comme une chance qui m'est accordée d'accéder à mon tour à cette croyance, et aujourd'hui, je renonce à l'inutile et à l'insignifiant, je ne demande rien, ni maison, ni train de vie, ni parures, ni enfants, je ne veux rien faire d'autre de ma vie que rester à ses côtés, et l'aider, l'encourager dans cette voie, peindre jusqu'à ce que la mort nous sépare, l'aimer et être aimée de lui.

*

Lettre de Vincent à Théo, juin 1890 (636)

« ... *Réflexion faite, je ne dis pas que mon travail soit bon, mais c'est ce que je peux faire de moins mauvais. Tout le reste, relations avec les gens, est très secondaire, parce que je n'ai pas de talent pour ça. À cela je n'y peux rien.* »

*

Nous étions assis côte à côte dans le train pour Paris, il observait les champs qui défilaient, je lui ai tendu mon carnet de dessin, le même qu'il avait fait valser lorsque nous avions peint l'un près de l'autre au bord de l'Oise, il l'a pris d'un air ennuyé, l'a feuilleté, s'arrêtant sur un portrait d'Hélène en Madame Récamier. Puis il l'a écarté lentement, le tenant un moment à bout de bras, a cligné les yeux, et finalement il a fait la moue en me le rendant.

— Pourquoi est-ce que tu peins ?

— Parce que j'en ai envie, je peins depuis que je suis petite.

— Je ne te demande pas depuis combien de temps tu peins, je te demande pourquoi. Donne-moi la raison qui te pousse à peindre.

— Je suppose parce que j'aime ça.

— Je m'en doute. Le problème, c'est que tu ne sais pas répondre à cette question.

— Je veux prendre des cours, pour apprendre.

— Tu ne comprends rien ! Je te parle de toi, bon sang ! La peinture ne s'apprend pas, les leçons ne servent à rien ! Pourquoi prendre des cours avec de mauvais peintres, qui tueront ce qu'il y a de meilleur en toi, qui craignent ce qui est moderne comme la peste car ils ne produisent que des choses figées et sans âme. Les cours ne servent qu'à suivre le chemin tranquille et sans risque

162

que le professeur a emprunté, à s'enfermer dans la même impasse que lui. N'aie pas peur de te mettre en danger, de te casser la figure et de souffrir. Trouve ton chemin seule, tu n'as besoin de personne pour être peintre, regarde ce que tu as devant toi, ferme les paupières, et peins ce que tu vois à l'intérieur de toi. Et si tu ne vois rien, s'il n'y a rien, arrête de peindre.

Je lui ai demandé comment il trouvait mon dernier dessin d'Hélène, il n'a pas répondu, il a pris son journal dans la poche intérieure de sa veste et s'est mis à lire.

Nous sommes arrivés gare du Nord, dans la presse et l'agitation, Vincent ne supportait pas les cris de la foule, ni l'odeur suffocante des fumées des locomotives. Il a voulu repartir à la campagne. Le matin, je l'avais prié de m'accompagner à l'académie Julian. Il avait fini par accepter, mais j'avais dû attendre qu'il eût fini son tableau du jour. Maintenant, il regrettait d'avoir cédé, maugréait que c'était une mauvaise idée, qu'il y avait déjà suffisamment de peintres médiocres et qu'il avait mieux à faire que d'attendre l'omnibus attelé n° V qui devait nous conduire au carrefour Saint-Germain.

– Vincent, je vous ai demandé de m'aider, pas de me démoraliser. Rentrez à Auvers, je me débrouillerai sans vous.

– Non, je veux voir à quoi cela ressemble, je ne te laisserai pas t'engager dans n'importe quoi.

Il a fallu une heure à l'omnibus pour traverser Paris, tellement il y avait d'encombrements, de voitures de livraison arrêtées, de calèches et de tramways. Assis sur l'impériale, Vincent a fini par se dérider et cette effervescence nous a amusés comme si nous étions deux provinciaux débarqués à la capitale, et puis, surtout, nous avons parlé comme jamais, et cette conversation, rétrospectivement, me fait froid dans le dos.

*

Environ 70 000 chevaux sont utilisés à Paris, générant une pollution considérable, un nombre d'accidents important et des encombrements effrayants, dus aux livraisons et aux attelages publics et privés, qui paralysent souvent le centre-ville. La détérioration des conditions de circulation entraînera la décision de créer le métro parisien.

*

Quand je repense à cette époque, je me dis que nous vivions sur une autre planète, dans un monde qui n'a strictement plus rien à voir avec celui dans lequel nous évoluons aujourd'hui ; malgré sa rudesse apparente, et cette brutalité qui nous effrayait tant, notre société était autrement plus humaine que celle de notre temps, si policée, si courtoise, mais ô combien hypocrite. Des mots qui jalonnent aujourd'hui nos conversations n'avaient aucun sens : guerre mondiale, génocide, bombe atomique ne voulaient rien dire pour nous ; la plus cruelle des guerres du passé avait fait moins de morts qu'une seule journée à Verdun. Nous étions tous persuadés que l'avenir serait radieux, que le passage au XXe siècle ouvrirait pour l'humanité une période de paix et de bonheur, que la science, les progrès de la médecine allaient régler nos problèmes et nous faire entrer dans un âge d'or. Naïfs que nous étions ! Comment avons-nous pu être aveugles à ce point ? Nous étions au bord du précipice, et nous avancions les yeux fermés, avec gaieté et inconscience.

Cette sombre pensée me vient car je me rappelle notre discussion, sur l'impériale. Nous vivions des jours incroyablement heureux, et insouciants ; autour de moi, j'entendais les propos des autres voyageurs, la vie semblait belle pour l'éternité. Aurions-nous pu imaginer l'effroyable destin qui nous était promis et que, bientôt, près de la moitié des hommes qui nous entouraient seraient couchés sur le dos ? Pendant le trajet, avec Vincent, nous n'avons parlé que de peinture et du Salon des artistes français. Cela peut paraître un bavardage futile, presque inconvenant, mais nous étions jeunes et nous ne savions pas. En ces années, qui semblent si lointaines aujourd'hui, le Saint-Graal était d'être admis à y exposer. Hors du Salon, point de salut. Il y avait bien sûr les Indépendants, un salon sans jury ni récompense, auquel Vincent avait participé l'année précédente et où ses toiles avaient marqué les esprits par leur hardiesse et leur côté novateur, mais d'après lui, je devais absolument m'affirmer en intégrant le circuit institutionnel tenu par l'Académie, les professeurs des Beaux-Arts et les peintres officiels, quitte à l'abandonner plus tard, la maturité venue, et à rejoindre la modernité. Il fallait s'attendre à de nombreux refus, injustes ou justifiés, mais c'était une épreuve à surmonter, un savoir-faire, une reconnaissance à acquérir. Je n'étais pas enthousiaste à l'idée de me prêter à cette manœuvre, peut-être que la crainte d'être refusée, sans explications, ne m'encourageait pas à suivre le chemin de la convention, d'autant que je me sentais proche des Indépendants et que la certitude d'y être acceptée me poussait à emprunter cette voie. Mais Vincent avait tracé mon avenir.

– C'est un passage obligé, affirma-t-il. Il faut apprendre le solfège avant de jouer d'un instrument et il faut faire ses gammes avant d'être soliste. Tu dois accepter l'enseignement académique comme une corvée obligatoire, pour te permettre plus tard de le jeter aux orties et de peindre comme il te plaît. Moi-même, j'ai copié Charles Bargue à l'infini, à en avoir des crampes aux doigts, c'est un peintre conformiste et fade mais il dessine admirablement. Il faut maîtriser les bases. Chez Julian tu apprendras, et pourtant c'est un sale bonhomme.

Une foule d'enterrement sortait de l'église Saint-Germain-des-Prés. Vincent ne s'arrêta pas pour s'incliner, il pressa le pas et je dus courir pour rester à son niveau. Dans la rue du Dragon, les camelots et les marchands des quatre-saisons hélaient le chaland et offraient leurs produits sur des tréteaux qui encombraient les trottoirs, la viande des boucheries s'étalait en devanture et il fallait autant faire attention aux charrettes tirées par les chevaux qu'à leurs crottes qui étaient des pièges infâmes.

— Mais voudra-t-il m'admettre dans son académie, je n'ai qu'un carnet de mauvais croquis à présenter ?

Vincent me fixa d'un air peu commode.

— Pour entrer chez Julian, il n'y a pas de jury et pas d'examen, personne ne demandera à voir tes dessins, il n'y a qu'un seul critère d'admission : tu es admis si tu peux payer. Ce n'est pas un artiste, c'est un commerçant, et si cela rapportait plus, il vendrait du poisson.

Vincent s'immobilisa devant le porche du 31.

— C'est au fond de la cour. Je t'attends au café du coin.

— Vous n'allez pas me laisser y aller seule !

— Ne compte pas sur moi pour te servir de chaperon. Tu veux être peintre ? Alors, l'entrée est là.

*

Lettre de Vincent à Théo, 15 novembre 1878

« L'art est si riche, si une personne peut seulement se souvenir de ce qu'elle a vu, elle ne manquera jamais d'alimenter ses pensées et ne sera plus vraiment seule, jamais seule. »

*

Je me revois, petite dinde de dix-neuf ans, franchissant le Rubicon, le cœur battant la chamade, cognant doucement à une porte que personne ne vint ouvrir, hésitant à m'éloigner et me résignant à entrer, pleine de retenue comme si j'allais me faire égorger dans cet antre de perdition sombre et silencieux, où régnait une chaleur lourde. J'avançais, sur mes gardes, me dirigeant vers une source de lumière, et soudain, au détour du couloir, je fus comme pétrifiée.

Dans un atelier exigu et surencombré, haut de plafond, éclairé d'un seul côté par une lumière grise qui traversait une verrière, les fenêtres closes malgré la température de four, une quarantaine de femmes, peut-être plus, âgées pour la plupart, travaillaient à touche-touche derrière des chevalets, celles des premiers rangs assises sur des tabourets, toutes vêtues de tabliers bouffants bleus ou beiges. Le modèle était une jeune fille anguleuse aux cheveux filasse, au visage disgracieux, qui posait nue, assise sur une chaise, les jambes croisées avec un pied tendu, le bras droit dressé en l'air et le gauche plié sur la tête. Je fus frappée par l'atmosphère studieuse, presque religieuse, du lieu, et par le fait qu'aucune de ces artistes ne portait de chapeau, elles étaient tête nue, cheveux en chignon ou sur les épaules, et cela me sembla le comble de l'audace. Sur les côtés, plusieurs dessinaient au fusain sur de grands carnets qu'elles tenaient d'une main, calés sur leur ventre. Nulle ne m'avait prêté la moindre attention, je ne voulais pas interrompre leur activité, elles paraissaient si concentrées sur leur tâche. Je décidai d'attendre la fin de la session. C'est alors que je le vis, ou plutôt que j'entendis sa voix, grave et posée. Je fis deux pas sur le côté et je l'aperçus qui corrigeait la production d'une pastelliste, c'était un homme d'âge mûr, pas très grand, au front dégarni, à la barbe poivre et sel, trapu, vêtu avec élégance. Il discourait et elles l'écoutaient, sans répondre, acquiesçant à chacune de ses remarques d'un signe de tête. Peu d'œuvres trouvaient grâce à ses yeux, il fixait chaque toile deux secondes avant de lancer des considérations désagréables, n'hésitant jamais à démolir sèchement et à proférer un jugement définitif, mais d'une voix douce, un peu fatiguée, qu'il accompagnait à la fin d'un encouragement. Il avançait d'une façon imprévisible, allant à droite, reculant, puis à gauche, il se dégageait de sa personne une force peu commune, comme un lutteur de foire qui défie la foule avec humour et qui sait que son charisme opère sur le beau sexe.

– Ce n'est pas un tableau, ça, c'est une reproduction, détailla-t-il, vous dessinez trop bien, Isabelle, c'est parfait, cependant il n'y a pas de vie, ça ne bouge pas, c'est lisse, elle est moche la petite, elle est méchante, elle vous déteste mais ça ne se voit pas, tout est gommé, elle sent mauvais, on dirait une gorgone. Il est propre, votre tableau, et ennuyeux. Qu'est-ce que vous voulez, hein ? Faire plaisir à votre belle-mère ou exposer au Salon ? Il doit me faire hurler, ce tableau, me révulser. Là, on s'en fiche. Je dois le remarquer face aux centaines qui l'ont précédé, et pour le remarquer, il faut qu'il ait quelque chose de remarquable. Moi, spectateur, je dois me poser des questions sur ce modèle, sur son odeur, sur son caractère. Je veux qu'il fasse scandale, ce tableau ! Qu'on en parle ! Vous comprenez ? Tout, sauf de l'indifférence. Cela dit, vous avez du talent, Isabelle, continuez.

Les suivantes eurent droit, à leur tour, à leur lot de bois vert, les flèches étaient acérées, mais elles étaient lancées avec maîtrise, pour ne pas être trop douloureuses. Les victimes ne s'en offusquaient pas, car elles étaient proférées d'une voix chaude et débonnaire, comme un père gronde avec gentillesse un enfant en bas âge et le persuade de ne pas recommencer ses bêtises. Puis, arrivant au premier rang, il félicita une artiste aux tresses relevées en chignon, dont il trouva le travail superbe. Il le donna en exemple aux autres qui se regroupèrent autour pour l'examiner.

– C'est nerveux, c'est vif, mes félicitations, Marie, c'est magnifique. Regardez, mesdames, voilà de la peinture, ça a du caractère, il y a du jus là-dedans, du nerf, ce n'est pas joli, ou mièvre ou mollasson, on ne dirait pas que c'est une femme qui l'a peint, mais un peintre, tout simplement.

Il fit un demi-tour, m'aperçut près de l'entrée, m'offrit

un sourire comme s'il me connaissait depuis toujours et, tel un oiseau de proie, me fonça dessus. Rodolphe Julian avait compris que j'étais une nouvelle cliente. Tout d'un coup, je me suis sentie l'être le plus important du monde, à la façon dont il me considéra, dont il écarta de la main celles qui, un instant auparavant, avaient toute son attention. Il me vanta son atelier, pas seulement le meilleur de Paris, mais le seul à accueillir des femmes, à leur proposer un travail sérieux, équivalent à celui des hommes, avec les meilleurs professeurs, des modèles nus et des antiques, comme aux Beaux-Arts, à leur permettre de présenter leurs œuvres au Salon avec succès. Chaque année, deux douzaines de ses élèves y étaient célébrées par la critique. J'avais l'impression qu'il n'attendait que moi, qu'il allait enfin pouvoir donner le meilleur de lui-même, et révéler la nouvelle Artemisia.

– Ici, vous serez dans un environnement idéal qui vous permettra de développer votre talent, vous pourrez être vous-même, et travailler dans les meilleures conditions. Il y a deux sessions par jour. La première de 8 heures à midi et la seconde de 13 à 17 heures, les places sont à celles qui arrivent les premières le lundi matin, plus on est près du modèle, meilleur c'est, on ne prend plus d'inscriptions à la journée, c'est cinquante francs par session et par semaine, cent francs pour les deux, on ne fait pas de réduction et on ne rembourse pas en cas d'absence, le chevalet est à dix francs par semaine, le tabouret aussi, on fournit le modèle, la lumière et le chauffage l'hiver, mais pas les feuilles de dessin, ni les toiles, ni les tubes qui sont à votre charge. Ma petite, vous allez découvrir quel grand peintre vous êtes.

Julian me raccompagna à la porte, je devais me décider rapidement car il avait des demandes à foison, des Anglaises et des Américaines le suppliaient de les accepter, mais lui préférait donner leur chance à de jeunes Françaises et, sans avoir rien vu de mes travaux, il sentait que j'avais un don particulier, unique même, cela se voyait à des détails qu'il ne pouvait me révéler, faute de temps, mais sa longue expérience de pédagogue et de peintre avait développé en lui un sixième sens, il était connu dans tout Paris comme le loup blanc pour avoir un flair sans pareil pour découvrir les artistes de demain. Il me promit de me garder une place pendant deux jours, après ce serait trop tard, il me faudrait attendre il ne savait combien de temps. Vincent arrivait dans la cour et se dirigea vers nous.

– Pourquoi est-ce si long ? demanda-t-il.

Julian le toisa de haut, puis se tourna vers moi.

– Sachez, mademoiselle, que hormis vos professeurs, les hommes sont interdits d'accès dans cet atelier. L'ambiance est sérieuse, spartiate même, comme dans les ateliers masculins, il faut prendre sur soi, et jouer des coudes, mais la réussite est au bout.

– Je ne crois pas que ce sera possible.

– Cela ne te convient pas ? demanda Vincent.

– C'est le prix, c'est très cher.

– Les femmes payent un tarif double, expliqua Julian, mais c'est normal, c'est un passe-temps, vous n'imaginez pas faire carrière, c'est une distraction, un petit luxe que vous vous offrez et qui vous coûtera infiniment moins qu'une robe de modiste. Quarante-huit heures !

*

La Lanterne, 3 mars 1890

« M. de Brazza a dû éprouver une bien désagréable surprise en lisant, ces jours derniers, les journaux qui annonçaient son départ. Tous, même ceux qui jadis chantaient le plus haut ses louanges, ont poussé un "ouf !" de satisfaction des moins déguisés et ont félicité le gouvernement de l'avoir enfin rappelé au sentiment de ses devoirs. Comme Abner dans Athalie de Racine, M. de Brazza doit trouver que les temps sont bien changés.

Maintenant, reste à savoir si M. de Brazza partira bien le 10 avril. Les uns disent que c'est fini de rire et qu'il lui faudra cette fois rejoindre son poste à la date fixée, les autres, le connaissant sans doute mieux, affirment qu'il trouvera encore le moyen d'éluder l'ordre et de rester en France. Avons-nous besoin de dire que nous sommes de ces derniers ?

M. de Brazza est comme le fusil de Tartarin, toujours prêt à partir, mais il ne part jamais. »

*

Ce ne fut pas une bonne idée d'aller dans cette académie. On ne force pas son destin, on ne peut en modifier le cours à sa convenance. Je n'aurais pas dû obliger Vincent à m'accompagner, je n'avais pas besoin de son aide après tout, j'aurais pu me renseigner seule, mais je voulais lui prouver que je pouvais faire partie de la confrérie des artistes. Vincent fut effaré des conditions de l'académie mais, malgré cela, il me poussa à persévérer. Je n'ai pas compris pourquoi il tenait tellement à ce que je travaille avec quelqu'un qu'il méprisait autant, qui avait, dit-il, deux bras gauches, dont les toiles étaient si détestables qu'elles étaient refusées par tous les salons et qui avait trouvé ce seul moyen de gagner sa vie, en exploitant jusqu'à la couenne celles qui rêvaient d'accomplir leur rêve.

– Il faut en passer par là : copier les anciens, dessiner des têtes d'empereurs romains, avec des ombres et des dégradés, des gladiateurs avec des muscles tordus et des moulages de pieds, il n'y a rien de plus difficile à dessiner qu'un pied, c'est horrible, mais quand tu y arriveras, tu pourras peindre ce qui te plaît.

– Comment pourrais-je être présente le matin à huit heures ? Il faudrait que j'habite Paris, et mon père ne le voudra pas. Je dois renoncer.

– Si tu dois te trouver dans les conditions idéales

pour devenir peintre, sache qu'elles ne seront jamais réunies ; au contraire, les obstacles qui te pousseront à différer et à reculer seront toujours les plus nombreux et les plus forts, à toi de savoir ce que tu veux faire de ta vie, si la nécessité de la création est plus puissante que ton souci de confort, si tu es prête à te battre ou à rentrer dans le rang. Après tout, on n'a pas besoin de ta peinture, il y a déjà suffisamment de badigeonneurs comme cela.

*

La Lanterne, 27 janvier 1890

« *Fonctionnaires rebelles. Il ne se passe pas de jour où il ne se produise de la part du clergé salarié par la République un acte de rébellion contre l'autorité de l'État... L'impunité dont ces actes inouïs ont bénéficié de la part de l'État a prouvé à ces hauts dignitaires de l'Église qu'ils auraient bien tort de se gêner avec le Gouvernement... Les évêques se moquent littéralement du gouvernement et des lois... Il faut que le scandale de la rébellion du clergé cesse.* »

*

Vincent marchait d'un pas rapide, mains dans les poches, il avançait sans se préoccuper de moi, j'ai cru que j'allais le perdre de vue. Sur le boulevard Saint-Germain, j'ai couru pour le rattraper et me suis plantée devant lui.

– Ce n'est pas un succès, mais ce n'est pas grave, je vais trouver une meilleure solution, je n'abandonnerai pas, croyez-moi, je serai peintre, vous pouvez en être sûr. Je suis encore jeune, rien ne presse, la plupart de ces artistes ont au moins dix ans de plus que moi. Et puis, les choses changent pour nous, maintenant on peut s'inscrire en faculté de médecine ou de droit, bientôt les Beaux-Arts autoriseront les femmes à se présenter au concours, vous ne croyez pas ?... Répondez-moi, Vincent... Il est tôt pour rentrer, si on allait à la tour Eiffel ? Pendant l'Exposition universelle, mon père n'avait pas voulu payer les cinq francs de la montée en ascenseur, on était restés en bas, dans la foule, à la contempler, bouche ouverte, éberlués, à se demander par quel miracle elle tenait debout et si elle n'allait pas s'écrouler sur nous. Je rêve de monter tout en haut, il paraît que les gens sont comme des fourmis et que Paris semble tout petit, on a du mal à le croire, non ? J'ai l'argent pour l'ascenseur, il ne doit plus y avoir de monde maintenant, on n'attendra pas ; sur le quai, on peut prendre un omnibus qui nous laissera au Champ-de-Mars et un autre ensuite nous ramènera à la gare du Nord, on sera à l'heure pour le train. C'est quand même une sacrée invention, vous ne trouvez pas ? Je connais quelqu'un à Pontoise qui s'est fait construire une ver-

rière par un ingénieur d'Eiffel, c'est amusant, non ?...
On y va ? ... Vous voulez bien ?

Vincent ne répondit rien, il prit *La Lanterne*, pliée
dans la poche intérieure de sa vareuse, l'ouvrit, chercha
un article et commença à lire : « Quand on approche de
la tour Eiffel, le spectacle est tout différent. D'abord la
géante de fer, qui vivait d'une si étrange vie, est muette
et silencieuse. On a beau lever la tête, sonder de l'œil
l'inextricable réseau de ses poutrelles, on ne surprend
pas le moindre mouvement. Les ascenseurs ne fonc-
tionnent plus et les escaliers ne servent guère qu'aux
rares savants qui sont admis à faire des expériences à
son sommet. Nous devons avouer du reste que nous
n'en avons pas vu. Mais le phare est bien haut, et nous
n'avions pas de lunettes. La fontaine, placée entre les
quatre pieds de la tour, montre en plus d'un endroit
qu'elle n'était qu'en plâtre et qu'il faut se hâter de la
démolir, si l'on ne veut qu'elle s'écroule. Ses personnages allégoriques, si beaux et si blancs il y a quelques
mois, sont devenus noirâtres et leur épiderme est recou-
vert d'horribles eczémas. C'est le cas, du reste, de
presque toutes les statues de plâtre qui se trouvent
encore dans le jardin central ou qui servent à l'ornemen-
tation des portes. Qu'on se hâte donc de les faire disparaître. Ce sont elles qui mettent au Champ-de-Mars la
note la plus triste. Elles ont quelque chose de cadavé-
rique qui fait mal. Quant aux allées des jardins, elles

sont défoncées, comme elles l'étaient avant l'ouverture de l'Exposition. »

– Quel dommage ! Comment est-ce possible ? Vous croyez qu'ils rouvriront bientôt ?

– C'est fini, Marguerite, il est question de la démolir.

– Oh non, ce n'est pas vrai !

– Retournons à Auvers, j'ai du travail. Je vais parler de l'académie à ton père. Il m'écoutera et il comprendra, il aime la peinture après tout.

– Par pitié, ne dites rien. Je vous en prie. Ou il m'étripera.

*

Malgré ses 10 100 tonnes d'acier, la tour Eiffel est d'une légèreté inouïe : son poids réparti sur ses quatre pieds équivaut à celui d'un adulte assis sur une chaise, soit quatre kilos au centimètre carré.

*

Normalement, je devrais trembler, redouter de tomber enceinte, car je ne prends pas de précautions. Si cela arrivait, mon père tuerait Vincent, j'en suis sûre, il a beau afficher un caractère mélancolique, il peut être violent et, quand la colère le prend, il ne se contrôle plus. Mais que faire pour éviter de me retrouver grosse, hormis ne plus aimer Vincent ? Existe-t-il seulement une pratique, une potion secrète ? À qui pourrais-je poser la question sans me trahir ? Il n'y a personne autour de moi à qui je puisse me confier. Pas Louise, bien sûr, encore moins Hélène ; il y a Georges, lui doit savoir certainement, mais je me vois mal aller questionner sur ce sujet celui qui m'était promis. Je suis seule sur cette terre. Avec Vincent, mon ami. J'ai le sentiment que la volonté divine fait uniquement la différence et que les mères de famille averties n'en savent guère plus que leurs filles. La grande loterie. Vincent me dit qu'il fait attention, mais je me demande à quoi ; à ce moment-là, il perd la tête, geint, crie, tremble et oublie. *T'inquiète pas, mon petit tournesol, t'inquiète pas.*

Je ne m'inquiète pas. Si cela se produisait, ce ne serait peut-être pas une catastrophe mais une chance, un signe du destin, on aurait une raison de rester ensemble pour de bon. Vincent aime les enfants ; quand il en croise dans la rue, il s'amuse avec eux, il adore son neveu, le fils que Théo vient d'avoir et qui porte le même prénom que lui. Il me parle souvent du petit Vincent, il a envie de faire son portrait. Si ce malheur ou cette joie, je ne sais plus, survenait, je ne le dirais à personne, sauf à mon bien-aimé, et nous partirions d'ici, on irait en Amérique tous les deux, ou ailleurs, où il voudrait, et je m'occuperais de son bonheur, de sa peinture et de son fils, il serait l'homme le plus heureux qui soit, avec une famille qui lui donnerait un but dans la vie et une femme qui l'aime près de lui.

Chaque nuit, j'attends que Louise s'endorme ; par chance, je l'ai dit, elle a un sommeil de sonneur. À cette époque on se couchait tôt, la radio n'existait pas et à huit heures et demie tout le monde était au lit. Je patiente, je guette le moindre bruit venant de sa chambre, et quand j'entends un ronflement salvateur, je suis libre comme le vent d'aller où je veux, je pars chaque soir rejoindre Vincent dans sa chambre et reviens, au pied de l'aube, ni vue ni connue. En fin de semaine, quand mon père et mon frère sont là, je prends plus de précautions car ils lisent longuement avant de s'endormir, le rai de lumière sous la porte de leur chambre m'indique qu'il faut redoubler de prudence, parfois jusqu'à des onze heures, et quand la paix des ténèbres a pris possession de la maison, comme un fantôme je peux m'envoler et disparaître. J'enlève mes chaussures, j'avance pieds nus sur le sol froid pour faire moins de bruit, j'ai repéré les marches qui craquent, les endroits où il faut passer, en longeant le mur, et ceux qu'il faut éviter, près de la rampe, parce que leur murmure risque de les éveiller. Personne ne se doute de rien et ne devine rien.

Comme je reviens aux premières lueurs, je traîne au lit le matin, je dis que j'ai lu tard, que le sommeil, pour des raisons mystérieuses, me fuit. Mon père, qui me trouve petite mine, me confectionne une tisane de coquelicot, de valériane et d'autres simples, un mélange dont il a le secret et qui fait des miracles sur les insomniaques dans son genre en l'endormant comme un enfant. Je le remercie pour sa sollicitude, je monte plusieurs soirs de suite avec un bol fumant et le balance par la fenêtre. J'ai toujours l'air fatigué en me levant. Il est dépité que sa potion n'ait pas d'effet sur moi, il n'en comprend pas la raison. Ou alors, a-t-il suggéré, mon insomnie est due à cette lune joufflue, si ambrée, qui chamboule les sens, et à cela il n'est rien à faire.

Mon mensonge est trop gros pour ne pas être découvert, tôt ou tard mon père si avisé lira sur mon visage comme à livre ouvert, car je suis incapable d'une longue dissimulation, mais je me découvre plus rusée que je ne le pensais, agitée par une exaltation intérieure tourbillonnante que je dissimule derrière un visage las et des gestes empesés. La lune, aussi bombée soit-elle, n'a aucune influence. L'amour a des vertus antalgiques, je suis passée, en quelques jours, en quelques nuits, de la terreur adolescente d'être découverte à la conscience de ma liberté et à la tranquillité. Ce n'est pas de l'insouciance, mais je me suis détachée de l'autorité de mon père, je me suis envolée, hors de sa portée, de son jugement, il ne peut plus me retenir, me rattraper.

La vie avec Vincent s'organise, dans la journée il peint, et je crois pouvoir dire que si les toiles de cette période ont été parmi les plus belles, c'est parce qu'il était heureux et épanoui. Malgré nos nuits, il se lève à cinq heures et part dans la campagne, son chevalet et sa besace sous le bras, pour créer un monde de couleurs comme lui seul sait le rendre. Il ne faut pas le déranger, pas l'interrompre, pas l'encombrer, c'est ainsi qu'il aime vivre, et l'on se retrouve le soir. Dans l'après-midi, je vais de temps à autre à sa recherche, je connais les coins qui l'inspirent, avec lesquels il est en affaire, les rangées d'arbres qui le troublent, les toits de chaume qui le bouleversent, les champs ondulés et les meules de travers qu'il a décidé d'arranger à sa manière. Il échappe souvent à ma vue, je passe à côté sans le voir et c'est lui qui me dit : *Je t'ai vue tantôt qui te promenais, et ça m'a fait plaisir de te voir.* Parfois, je l'aperçois, perché sur une crête ou au creux d'un vallon, qui bataille sur sa toile, et je l'observe, de loin, travailler, hésiter, recommencer encore, prendre du recul, et il s'élance comme s'il y avait urgence à terminer. Il a des moments incertains, où il se demande par quel bout s'y prendre, quelle couleur vibrera le plus, ou il ne pense à rien, écrasé par la tâche à accomplir, doutant de jamais y arriver, sauf à y laisser ses dernières forces. Il reste les bras ballants, figé, une heure durant sans bouger, à contempler la toile blanche, puis il trace du bout du doigt des signes invisibles dessus, qu'il est le seul à voir, il tripote ses brosses, malaxe des peintures sur sa palette, et il se lance, sans espoir de retour, comme un être qui ne sait pas nager se jette à l'eau en espérant atteindre la rive, et achève sa toile en un rien de temps.

Le soir, la maison endormie, je m'échappe comme une voleuse, je traverse le village désert, et on se retrouve dans sa chambre à la pension Ravoux. À plusieurs

reprises, j'ai trouvé Vincent endormi, étendu sur son
lit, tout habillé. Je m'assois sur la chaise, j'aime le voir
dormir, il semble si tranquille, il sourit, sa lèvre infé-
rieure bouge, peut-être me parle-t-il dans son rêve, puis
je me couche à ses côtés, je veille à ne pas le réveiller,
c'est à peine s'il s'en rend compte, il me laisse un peu de
place sur le lit minuscule, et nous restons blottis l'un
près de l'autre. Moi, je lutte contre le sommeil, terrorisée
à l'idée de me réveiller au petit matin, je profite de ce
temps béni que nous passons seuls et unis, sans personne pour s'interposer et nous séparer. Et puis, en se
retournant, il me découvre, son visage s'éclaire : *Oh mon
petit tournesol, tu es là !* Et il dépose un baiser léger sur
mes lèvres, nous restons face à face, et je vois au fond de
son âme l'amour qu'il me porte, il me caresse le visage
du bout de son doigt et il me sourit comme on sourit à
l'amie de son cœur, avec une infinie douceur, et moi qui
ai vu ce regard posé sur moi, je sais qu'il m'aime comme
toute femme rêve d'être aimée par l'homme de sa vie.
Quand il le souhaite, il soulève ma jupe et me prend
comme il aime, je le laisse faire parce que je veux qu'il ait
du plaisir avec moi, même si moi, je ne sens jamais rien,
que le poids de son corps haletant contre le mien, ses
doigts qui se plantent dans ma peau, sa barbe qui m'éra-
fle le visage, et ses cris de volupté, c'est tout ce que
j'éprouve, mais cela me comble. Il me pose la question,
il a envie que je sois heureuse, comme lui, que le monde
tourbillonne pour moi aussi, je ne veux pas lui mentir, et

cela le trouble. *Ça va venir, mon petit tournesol, ça va venir, tu verras.* Je lui fais confiance, je ne suis pas pressée. Je l'embrasse et je le serre du plus fort de mes forces. Dois-je lui dire que je sens quelque chose ? Oui, mais quoi ? Je suis sa femme, et c'est le plus grand bonheur qu'il puisse me donner.

*

La Lanterne, 14 mars 1890

« *La cour d'appel de Dijon vient de rendre un arrêt... que beaucoup de personnes trouveront sans doute un peu excessif. Elle a décidé que des faits antérieurs au mariage ne peuvent servir de base à une demande en divorce, ni à raison de cette circonstance que l'époux défendeur les aurait dissimulées à son futur conjoint. Le mari, d'après ce principe, ne pourrait fonder une demande en divorce contre sa femme en se basant sur le fait qu'elle aurait eu et lui aurait dissimulé avoir eu un amant avant son mariage...* »

*

Depuis deux jours, nous ne nous sommes pas vus, et il me manque tellement que ces jours sans lui sont comme une punition. J'allais partir à sa recherche quand j'ai reçu la visite de Georges qui, acculé par son père, venait m'annoncer sa décision de s'inscrire à la faculté de pharmacie pour la rentrée de septembre et souhaitait savoir si j'envisageais le mariage ou non. Je n'ai pas pu lui dissimuler mon manque d'enthousiasme, il a suggéré que nous passions par une longue étape de fiançailles qui pourrait durer un an, peut-être deux, si nous savions nous débrouiller. Nous serions libres de changer d'avis au bout du compte et, pendant ce temps, son père lui ficherait la paix ; sinon, il courait à la catastrophe, son père ayant promis de le mettre à la porte en moins de temps qu'il n'en faut pour le dire, et il n'aurait d'autre solution pour survivre que de s'engager dans l'armée d'Afrique, ce qui, entre les sauvages et les maladies horribles qui prolifèrent là-bas, équivaut à une disparition quasi certaine.

– Tu ne veux pas ma mort, Marguerite, hein ?

– Bien sûr que non, mais je refuse de mentir. Si j'avais dû me marier, j'aurais préféré que ce soit avec toi, mais ce n'est pas possible, tu comprends ? Pourquoi n'adresserais-tu pas une demande à Hélène, elle a une dot de rêve, ou à sa sœur cadette, qui est délicieuse et veut quatre ou cinq enfants ?

– Je leur ai posé la question, Hélène ne veut pas d'un pharmacien, et sa sœur ne me trouve pas à son goût, et puis c'est toi que mon père a choisie. Il veut vous réinviter à déjeuner un de ces dimanches, ton père préfère attendre la fin de l'année scolaire pour ne pas perturber ton frère. Ils doivent discuter entre eux, mais je ne sais pas de quoi.

– Ce mariage ne pourra pas se faire, ta mère me déteste.

– Ah, tu es au courant, elle fait des histoires et des mystères de tout, mais son avis ne compte pas, c'est mon père qui décide. Écoute, Marguerite, mon père est riche, j'hériterai de la moitié de sa fortune et de ma tante qui n'a pas d'enfant. Nous nous connaissons depuis l'enfance, nous aurons une belle vie, nous serons bons amis, et tu seras libre de faire ce qui te plaît.

– Il vaut mieux que tu en trouves une autre.

– Mais mon père veut que je t'épouse ! Je peux attendre un peu, réfléchis à ma proposition et tu verras que tu as tout à y gagner, tu n'as pas de dot après tout, tu auras du mal à trouver un meilleur parti. Je ne te presse pas, mais il me faudrait une réponse avant de m'inscrire en faculté, disons début septembre.

Après cette déclaration d'amour, Georges m'a laissée désemparée. Je ne savais plus si je devais refuser et vivre ma vie comme je l'espérais, ou accepter et vivre ma vie aussi. Je suis partie à la recherche de Vincent, décidée à lui en parler et à recueillir son avis, mais je ne l'ai vu nulle part, à croire qu'il s'était évaporé.

Le soir venu, en attendant que Louise s'endorme, j'ai commis une erreur stupide, je me suis étendue sur mon lit, j'ai repassé dans ma tête les événements survenus depuis quelques semaines, l'apparition de Vincent, la découverte de sa peinture, et notre histoire, si belle et si compliquée, et c'est moi qui me suis endormie, tout habillée. Quand j'ai ouvert un œil, le soleil était levé, les oiseaux faisaient un barnum d'enfer, et j'ai mis un instant à réaliser que la nuit avait passé. Je me suis précipitée à l'extérieur de ma chambre. Louise astiquait la glace vénitienne de l'entrée et s'est étonnée que je sois debout si tôt. Je ne lui ai pas répondu et suis sortie, je l'ai entendue crier que je n'avais pas mis mon chapeau. J'ai couru jusqu'à l'auberge Ravoux, Adeline servait du café à des ouvriers, j'ai monté les escaliers quatre à quatre, j'ai ouvert la porte, la chambre de Vincent était vide et son lit défait. Adeline m'a raconté qu'il était parti tôt, comme à son habitude, sans prendre de petit déjeuner, avec son chevalet, sa besace et une toile vierge sous le bras, elle ignorait où il s'était rendu. Avec un petit sourire, elle m'a demandé s'il y avait un message à lui transmettre, mais elle a vu que je n'avais pas le cœur à rire. Elle m'a fait asseoir, m'a servi un bol de café chaud, m'a beurré une tranche de pain et m'a dit que je ne devais pas m'inquiéter, qu'elle m'aimait bien et que je pouvais lui faire confiance.

J'ai passé une bonne partie de la journée à arpenter les chemins autour d'Auvers, dans tous les sens, mais je ne l'ai pas vu. À chaque paysan que je croisais, je posais la question, personne ne l'avait aperçu, comme s'il avait quitté la région. Pour tout dire, les gens du coin ne faisaient guère attention à lui, ils s'en fichaient comme de l'an quarante, la peinture ne les intéressait pas, les rares à avoir jeté un œil à ses toiles les trouvaient horribles et en ricanaient, ils le prenaient pour un farfelu, un excentrique ou un fou.

*

La Lanterne, 14 mai 1890

« *New-York. On mande de Pittsbourg que la plus importante des agences pour l'importation d'ouvriers étrangers en Pensylvanie, a décidé de ne plus engager d'Italiens, leur puissance de travail étant insuffisante. On les remplacera par des nègres.* »

*

Je ne l'avais pas vu pendant deux jours et, la nuit suivante, j'ai pris garde à ne pas m'étendre sur mon lit, je me suis assise sur une chaise dans ma chambre et, en attendant de pouvoir m'échapper, j'ai commencé la lecture de *La Bête humaine*, qui venait de paraître et dont on disait tant de choses contraires, mais je n'arrivais pas à fixer mon attention, mon esprit s'échappait. J'ai senti monter une sensation inconnue et désagréable, presque intolérable, qui m'a envahie comme un poison.

Quand je suis arrivée à l'auberge Ravoux, il n'y était pas. Adeline ne l'avait pas aperçu de la journée, ni personne. Elle m'a dit de ne pas m'inquiéter, c'est ce qu'on dit quand ça va mal, elle m'a proposé de partager une assiette de soupe, mais je n'avais envie ni de manger ni de parler avec elle. Vincent était peut-être parti à Paris voir son frère, ou peut-être s'était-il décidé à rendre visite à Pissarro, qui était fatigué, mais il ne m'en avait rien dit, et mon cœur s'affolait.

J'ai traîné en ce mois de juin finissant, il faisait un temps si doux que je suis allée m'asseoir sur un banc au bord de l'Oise, la beauté du jour qui disparaissait m'indifférait. La nuit bleutée gagnait inexorablement, les berges et la rivière commençaient à se confondre. Quand j'ai entendu des pas sur le chemin, j'ai levé la tête. Vincent se tenait face à moi, sa toile sous le bras, sa besace sur une épaule et son chevalet plié sur l'autre.

– Oh, Marguerite, que fais-tu ici, à cette heure ?

Je n'ai pas su quoi répondre, je n'allais pas lui dire que j'étais perdue, paralysée d'appréhension. Vincent a calé sa toile avec précaution, a posé son chevalet et son sac, a ôté son chapeau et s'est assis à côté de moi, il a attrapé sa pipe dans sa poche et l'a allumée. On est restés côte à côte, il m'a tendu sa pipe mais j'ai refusé d'un mouvement de tête.

– Je crois que j'ai fait une belle toile aujourd'hui. En ce moment, je vais dans l'île, il n'y a personne, j'ai le sentiment d'être seul au monde. Et je suis content, cela n'a pas été facile, ça ne venait pas, j'ai traîné longtemps, comme un renard qui tourne autour d'un poulailler, je me suis dit que cette fois je n'allais pas y arriver, mais j'ai tenu bon, faut pas s'écouter, faut se battre un peu, c'est pas forcément un plaisir la peinture, et puis c'est venu, d'un coup, comme un geyser qui jaillit, et c'est réussi finalement. J'ai toujours eu un problème avec les blancs, avec le blanc de plomb et le blanc de zinc, mais j'ai enfin trouvé la solution. Faut utiliser le blanc d'argent ou la céruse en profondeur et le zinc blanc en surface et surtout : faut limiter la quantité d'huile au minimum. Je dis ça parce que, si tu veux être un bon peintre, faut être attentif au matériel, on fait les artistes et les questions techniques, on s'en fiche. Tous les produits ne se valent pas. Moi, j'utilise des toiles et des peintures pas chères, de mauvaise qualité, faudrait pouvoir dépenser sans compter, je me fais pas de souci, ça viendra quand mes toiles se vendront.

Il a pris la toile à bout de bras pour me la montrer.

– Faut faire attention, elle n'est pas sèche.

J'ai jeté un œil, mais la nuit nous enveloppait, il n'y avait plus assez de lumière et il l'a reposée. Il a tiré sur sa pipe à plusieurs reprises, elle s'était éteinte, il a poussé un soupir, puis il y a eu un silence interminable.

– J'ai réfléchi, Marguerite, je pense qu'il est préférable de s'arrêter, nous deux.

Je n'ai pas répondu. J'avais la chair de poule, je fixais la berge au loin, essayant de trouver un peu d'air pour respirer.

– Il vaut mieux qu'on arrête avant que ça ne devienne

trop important et qu'on ne puisse pas revenir en arrière. Tu ne crois pas ?

– Vous ne croyez plus à l'amour ?

– J'y ai cru, il y a longtemps, mais j'ai été déçu.

– Vous ne voulez plus y croire ?

– Tu es trop jeune pour moi, je suis trop vieux pour toi.

– Quelle importance l'âge, c'est maintenant qu'il faut être heureux, pas plus tard, ou jamais : maintenant. Je préfère quelques années de bonheur avec celui que j'aime et qui m'aimera qu'une vie d'ennui avec un autre.

– J'ai le double de ton âge, Marguerite, il n'y a pas d'avenir pour nous.

– Vous en connaissez beaucoup, vous, des couples d'amour qui durent longtemps ? Alors, peu importe le temps qui nous sera donné, ce temps que nous aurons ensemble, nous serons heureux, et c'est cela l'important, non ? Au moins, je serai différente des autres femmes ; quand je serai vieille, je n'aurai pas de regrets, je pourrai me dire : j'ai été une femme heureuse, j'ai aimé un homme qui m'a aimée aussi. Et puis, qui vous dit que je veux vivre avec vous toute ma vie ? Qu'est-ce que c'est que cette fadaise d'amour éternel ? Je ne veux pas me marier avec vous, je veux juste vivre avec vous. Dix mois, dix ans ? Moins, plus ? Comment savoir ce qu'on voudra demain. Pourquoi s'emprisonner ? On restera ensemble le temps qu'il nous plaira, ce qu'il faut c'est être heureux et rester libres de s'aimer.

191

– Mais je n'ai rien à t'offrir, Marguerite, je n'ai pas cent francs à moi. Je dépends de la générosité de mon frère, mes toiles ne se vendent pas, tu ne sais pas ce que c'est la pauvreté.

– Cela n'a aucune importance, que vous soyez riche ou pauvre, Vincent, je vous aime pour ce que vous êtes, pour votre regard sur moi, pour votre sourire, et pour vos tableaux qui me remplissent de bonheur.

– Je suis trop vieux pour fonder une famille et avoir des enfants, pour moi c'est trop tard.

– Votre frère qui est à peine plus jeune que vous a bien eu un enfant, et il est heureux, non ?

– Oui, mais moi, je me sens vieux et je suis fatigué, Marguerite, la peinture me mange toutes mes forces, elle ne m'en laisse pas assez pour vivre une aventure d'amour, je ne peux me consacrer qu'à ma peinture, à rien d'autre. Je ne veux pas d'une histoire qui encombre ma vie. Je vois les tourments de mes amis peintres qui ont une famille, c'est un souci que je ne peux pas me permettre. Un jour, tu me diras qu'il te faut une maison, et des enfants, cette vie-là n'est pas pour moi. La seule chose dont j'aie envie, c'est de peindre, tout le temps, jour et nuit, rien d'autre, et cela demande une telle énergie que je n'en ai plus pour le reste, il ne faut pas m'en vouloir, Marguerite, mais je n'ai rien à donner aux autres, que mes tableaux.

– Regardez-moi, Vincent, dites-moi que je ne compte pas pour vous, que vous ne m'aimez pas, que vous ne

voulez pas de moi. Dites-le-moi dans les yeux et je partirai, et je ne vous embêterai plus jamais.

– La nuit est tombée, Marguerite, je t'aperçois à
peine.

*

La Lanterne, 18 mai 1890

« *... aux termes du paragraphe 3 de l'article 3 de la loi
de finances du 17 juillet 1889, "les père et mère de sept
enfants vivants, légitimes ou reconnus" sont exemptés de
la contribution personnelle mobilière... Au moyen de ce
dégrèvement accordé aux familles nombreuses, on a
voulu favoriser l'accroissement de la population.* »

*

Mon père tenait à inviter Vincent à déjeuner chaque
dimanche, c'était devenu une tradition, il ne le considérait pas comme un malade et il n'en était pas un, il ne
ressentait pas de symptômes particuliers et ses problèmes
de santé s'évoquaient au passé, comme appartenant à une
époque lointaine et révolue. Il y avait un malentendu au
cœur de leur relation : Vincent espérait vendre des toiles
à son docteur et celui-ci escomptait agrandir sa collection
sans débourser un sou, c'est pour cela qu'il l'invitait régulièrement et que Vincent acceptait de venir à ces repas

qui étaient pour lui aussi pesants que la nourriture de Louise, faussement badins, et aussi factices que leur amitié. Ils se jouaient l'un l'autre une complicité et une entente tacites comme en affichent des condisciples de lycée, dans le but de servir leurs desseins respectifs. J'avais pourtant mis en garde Vincent, lui jurant que jamais mon père ne lui achèterait la moindre de ses peintures, pas plus qu'il n'en avait acheté auparavant, pour la simple raison qu'il avait la bourse tendue et préférait échanger ses conseils médicaux contre les œuvres d'artistes aussi impécunieux que lui qui acceptaient de se défaire de leur production, qui n'avait guère plus de valeur que le prix de la consultation.

Chaque repas était précédé d'un long entretien en tête à tête, qui ne servait médicalement à rien d'autre qu'à justifier un échange aux yeux de mon père, mais Vincent trouvait que ce dernier parlait trop de lui-même, de ses états d'âme et de ses difficultés, et s'intéressait finalement peu à son patient. Vincent ne voulait pas faire un deuxième portrait du docteur que celui-ci rêvait d'accrocher dans la salle d'attente de son cabinet parisien, et refusait de peindre mon frère ou nous deux jouant au piano, comme cela lui avait été suggéré. Vincent ne refusait pas vraiment, il affirmait ne pas avoir le temps, que des projets urgents l'accaparaient, qu'il avait besoin de gagner de l'argent et verrait plus tard.

Les déjeuners étaient interminables, on se serait cru dans un salon mondain, on se gardait d'aborder les sujets dangereux, on n'évoquait ni la rébellion ouverte de l'Église, ni l'agitation sournoise des royalistes, ni les soubresauts de la fuite du général Boulanger en Belgique, ni la fièvre syndicaliste qui se répandait comme la mauvaise herbe, encore moins les poussées anarchistes, personne ne se serait avisé de demander s'il fallait ou non envoyer la troupe pour mater les ouvriers rebelles et leurs piquets de grève, ou mobiliser à nouveau pour reprendre l'Alsace et la Lorraine. Non, on ne parlait de rien qui eût pu fâcher ou faire dégénérer la conversation, uniquement de peinture, des salons, de littérature, et un peu de musique. Mon père passait en revue ses amitiés impressionnistes et littéraires, et cela impressionnait Vincent qui ne les connaissait que de nom, il ajoutait sur le ton de la confidence des détails garantis de première main, lus dans la presse ou reçus de connaissances, et cette appartenance au cercle des intimes des plus grands artistes de notre époque, autant que les compliments dont mon père n'était pas avare, troublait Vincent.

À la réflexion de ces années passées dans le silence et la méditation, je pense que Vincent n'était en rien un malade mental ou un exalté, comme on l'a si souvent et si mal décrit. À cette époque, ce dont il souffrait était mal compris, et aucun médecin ne savait comment soigner ses troubles épisodiques. Il était d'un tempérament doux et calme, peu agressif, enclin à la conciliation plus qu'à la confrontation, assez fragile derrière son apparente robustesse mais, en de rares moments, il devenait maniaque et obtus ou irritable sans raison apparente, ou il sombrait dans une profonde mélancolie, à la limite du désespoir, il pouvait même avoir des accès de colère imprévisibles, et en quelques secondes, il s'emportait au-delà de la raison. Nous avions eu dans la semaine une violente dispute, que j'évoquerai plus loin, mais il n'était pas rancunier et, le jour d'après, sa colère avait passé, il haussait les épaules, en souriait, et son penchant naturel reprenait le dessus. Peut-être, probablement même, la consommation d'alcool précipitait-elle ses accès de fureur, et c'est vrai que lors de nos déjeuners, mon père mettait un point d'honneur à accumuler vins et boissons fortes. Vincent résistait le plus qu'il pouvait, humectait ses lèvres, laissait traîner son verre de bourgogne sans y toucher, mais il finissait par céder aux exhortations, trinquait, oubliait ses bonnes résolutions, et buvait plus qu'il n'aurait dû. Ce dimanche-là, à la fin du repas, personne ne vit venir l'orage.

Louise s'était surpassée, après la poularde farcie et le rôti en croûte, il y eut les fromages au lait cru du pays, du bray picard crémeux, de la tomme au cidre et des chèvres secs et fondants, nous nous sommes jetés dessus comme si nous avions faim, je ne sais comment nous avons eu l'estomac d'en avaler autant, ce n'était rien avant le gâteau aux fraises, et nous dûmes déclarer forfait quand elle servit les poires Bourdaloue, dont

Vincent raffolait pourtant mais qu'il refusa sous prétexte qu'il allait exploser. Nous nous levâmes avec un peu de peine et, comme la chaleur commençait à être pénible, mon père demanda à Louise de servir le café dans le salon, qui conservait un peu de fraîcheur. Nous allions nous asseoir quand mon père voulut montrer à Vincent la dernière eau-forte qu'il avait réalisée sur sa presse. Vincent, intéressé par ce procédé de gravure, y songeait pour diffuser ses œuvres et ils passèrent dans l'atelier. Pendant que mon père sortait la reproduction de la presse, Vincent se baissa et se mit à regarder des tableaux qui étaient empilés sous une table. Il en prit un entre ses mains, l'examina avec attention dans les détails, et lorsqu'il se releva, son visage était rouge. Mon père venait vers lui avec sa planche quand Vincent l'apostropha :

– Qu'est-ce que c'est ? dit-il en dressant le tableau à bout de bras.

– Un Guillaumin. Vous le connaissez ?

– C'est un de mes meilleurs amis.

– C'est un peintre que j'apprécie beaucoup, j'ai plusieurs de ses toiles, précisa mon père sans réaliser que Vincent s'était métamorphosé.

– Comment osez-vous laisser une toile pareille à même le sol ? Sans protection, sans cadre ! Dans la poussière ! C'est une honte !

– C'est-à-dire que…

– Vous n'êtes qu'un barbare ! Un imbécile ! Vous me

dégoûtez ! Personne n'a jamais commis une monstruo-sité pareille !

– Quand même, vous...

– Taisez-vous ! Vous ne méritez pas cette peinture, vous en êtes indigne, je dirai à Guillaumin la façon abjecte dont vous le traitez. Vous n'avez aucun respect !

– Pas du tout.

– Vous êtes un être ignoble, profondément mépri-sable !

– Je vous en prie. Je ne vous...

– Je ne mettrai plus jamais les pieds dans ce gourbi ! cria Vincent en l'interrompant. Non seulement vous êtes un médecin déplorable, mais en plus, vous êtes un homme détestable !

Vincent donna un coup sec dans la planche que mon père tenait dans ses mains, elle valsa et tomba à terre, puis il déposa avec précaution le tableau de Guillaumin en appui contre le mur. Il sortit et claqua la porte derrière lui. Mon père était tellement sidéré par cet esclandre qu'il resta interdit, la bouche ouverte.

*

La Lanterne, 23 juin 1890

« Notre diplomatie n'est pas heureuse avec l'Angleterre et la fameuse "Entente cordiale" que certains hommes d'État rêvent de ressusciter, nous promettrait, si nous en

*jugeons par les procédés anglais, une jolie série de décep
tions et de duperies. Cela ne date pas d'hier. De tout
temps notre diplomatie a conservé comme une sacro-
sainte habitude de se faire rouler abominablement dans
toutes les négociations avec l'aimable Albion.
... Or ce n'est pas une fois ni deux que l'Angleterre
nous a diplomatiquement escroqués. Ces procédés-là qui,
si on les appliquait dans la vie civile, seraient des exercices
de pickpockets, sont dans les traditions diplomatiques de
l'Angleterre, et de bien d'autres puissances aussi.»*

*

On entendait encore la voix de Vincent après son
départ. Elle résonnait dans nos oreilles, et ses insultes
tournaient en boucle dans nos têtes, avec cette agressivité qu'il nous avait jetée à la figure. Nous ne nous
attendions pas à cette explosion, ni à cette haine, habitués que nous étions à évoluer dans une société d'apparences, sans éclats de voix ni grossièretés, où la
politesse était une règle intangible, où les affronte-
ments restaient feutrés, et où on pouvait se balancer
mille méchancetés à condition que ce fût exprimé
courtoisement. Nous sommes restés comme des
courges, figés, sans savoir comment sortir de ce guê-
pier, et ce fut mon frère qui rompit le silence :
— Je croyais qu'il était guéri, votre peintre.

– Il faut croire que non, murmura mon père, désorienté.

– C'est de votre faute, père, me suis-je lancée, vous l'avez fait boire plus que de raison, et cela l'a excité.

– C'est honteux que tu puisses dire cela, il est majeur, que je sache, et il n'a pratiquement rien bu, ce ne sont pas deux ou trois verres qui peuvent vous mettre dans cet état. Non, il y a encore du travail, cela dépasse ma compétence, après tout je ne suis pas aliéniste. Je n'ai plus envie de m'occuper de lui, il a été d'une vulgarité inouïe, la moindre des choses que l'on puisse attendre d'un étranger qu'on accueille chez soi, c'est un minimum de politesse et de civilité. Il faut croire que nous ne sommes pas du même monde, que nous n'avons pas reçu la même éducation. L'ingratitude humaine est quelque chose de bien triste. Vous êtes témoins que nous l'avons accueilli comme s'il faisait partie de notre famille, et voilà de quelle façon nous sommes récompensés d'avoir voulu l'aider. Non, il n'y a rien à espérer de l'espèce humaine. Que cela vous serve de leçon pour l'avenir.

Quand Louise servit le café dans le salon, mon père lui donna l'ordre de fermer désormais notre porte à Vincent, de lui interdire l'entrée de notre maison, ce n'était pas la peine de prendre de gants.

– Et ne vous laissez pas embobiner par son baratin ou ses jérémiades, Louise. Je ne veux plus le voir ici, ni entendre parler de lui. Cela m'étonnerait qu'il ose reparaître, mais avec les marteaux dans son genre, tout est possible. À trop vouloir rendre service à son prochain et à trouver sans cesse des excuses aux gens, voilà qu'on se fait insulter chez soi. Alors, il faut savoir dire : halte-là ! Que chacun reste à sa place : lui à la sienne, nous à la nôtre. Et vous les enfants, si par hasard vous le croisez dans le village, vous passez sans le voir, il n'existe plus.

J'ai attendu que Louise quitte la pièce et que mon père retrouve un peu son calme. Il a allumé son cigare et s'est détendu.

– Pourtant, père, ne croyez-vous pas que cet emportement est le signe que Vincent a encore besoin de vos conseils ? Vous disiez qu'il avait fait de gros progrès, sans doute faut-il montrer plus de patience. Vincent n'est pas d'un naturel agressif, au contraire, et l'alcool a...

– C'est normal de se faire agresser par son invité, peut-être ? m'interrompit-il.

– Bien sûr que non, mais c'est un si grand peintre que...

– Qu'est-ce que tu y connais à la peinture, ma pauvre fille ? Il t'a eue, avec son air inspiré. C'est un pauvre badigeonneur, un barbouilleur qui dessine abominablement, et malheureusement pour lui, il y a des milliers de peintres de talent, la concurrence est rude, impitoyable même, et il sait qu'il n'a aucune chance de vendre sa peinture calamiteuse, mais il est malin le gaillard, il fait de la surenchère, il adopte la posture de la modernité, de l'artiste torturé et incompris. Même si ce n'est ni fait ni à faire, il y aura toujours un gogo pour crier au génie, parce qu'il ne connaît rien lui non plus à la vraie peinture. Vincent a trouvé son fonds de commerce : l'épate-bourgeois. Oui, c'est ça la vérité, ce garçon fait la peinture la plus bourgeoise qui soit. Tu ne t'es pas demandé pourquoi il n'avait jamais vendu une seule peinture ?

— Ce n'est pas vrai, son frère vient de vendre un de ses tableaux, et à un bon prix.

— Pour quelle raison ne vend-il pas ses autres tableaux, s'ils sont si beaux ? Même son propre frère ne croit pas en lui, il ne lui a jamais fait une seule exposition.

— Il va lui en organiser une, chez lui.

— Comment tu sais ça, toi ?

— C'est Vincent qui me l'a dit.

— Maintenant, il ne te dira plus rien, parce que je te défends de lui parler. Et je vous signale que dimanche prochain, nous sommes invités à déjeuner par les Secrétan.

— Est-ce indispensable ? demandai-je.

— Il est normal que tu fasses mieux connaissance avec ta future belle-famille.

— Je n'ai pas donné ma réponse à Georges. Je ne suis pas décidée à me marier.

— Eh bien, ma fille, il va falloir que tu te décides. Georges est un garçon charmant et un excellent parti.

Son père t'accepte sans dot, et il t'adore, ce n'est donc pas le moment de faire ta mijaurée.

– Je ne me marierai pas. Ni avec lui ni avec un autre. Je ne l'aime pas, je ne veux pas de lui. Cela vous arrangerait bien que je me marie avec lui mais je ne suis pas une marchandise dont vous pouvez disposer pour arranger vos affaires. Vous ne pouvez me forcer à accomplir ce que je refuse et je vous préviens, je ne serai jamais la propriété de personne.

– Je ne sais pas ce que j'ai fait pour mériter une fille comme toi. Mais si tu ne te maries pas avec Georges, tu perds une occasion qui ne se représentera pas, et tu risques de rester vieille fille.

– Si c'est vrai, j'en serai ravie.

– Tu es folle !

Mon père est sorti, furieux, nous laissant en tête à tête mon frère et moi. Paul restait imperturbable, balançant ses jambes sous la chaise. Nous avons entendu du bruit qui venait de l'atelier voisin, mon père actionnait la presse, mon frère m'a adressé un sourire complice.

– Il ne faut pas lui en vouloir, dit-il, il ne pense qu'à ton intérêt.

– Ou au sien. Tu comprends, Georges je l'aime bien, mais comme un ami, je n'imagine pas passer toute ma vie à ses côtés.

– Tu devrais y réfléchir quand même avant de dire non.

– Tu ne vas pas t'y mettre, toi aussi.

*

La Lanterne, 24 juillet 1890

« *Depuis quelque temps, le Parlement conjugue à tous les temps le verbe protéger. Il protège les villes, il protège les campagnes, il protège les ouvriers, les bourgeois, les paysans, il protège aussi le travail des femmes et des enfants. Après les vacances, il s'occupera de protéger les animaux... À quand la protection des coquelicots, des bleuets et des roses ?*
... Prenons y garde. C'est ainsi que de protection en protection... on arrivera bien vite à tout proscrire. »

*

Je ne sais pas nager, et pourtant je vais me jeter à l'eau. Tant pis si je me noie. Ou tant mieux. Je n'ai pas d'autre solution. À un moment, il faut admettre que la vie avance ou s'arrête, il n'y a rien de pire que de patauger dans le marigot de cette existence sans âme, et plutôt que de poursuivre un quotidien insipide, on doit prendre le risque de se lancer au-dessus du précipice. Quand l'air que vous respirez devient insupportable, que vous avez la conviction d'être enfermée vivante et qu'il n'existe pour vous ni échappatoire ni horizon, alors il faut un peu de courage, essayer de détruire les murs qui vous emprisonnent et espérer que leur chute vous libérera. Quel que soit le prix à payer, il sera moins pénible que cette mort lente. Je n'ai rien choisi, je suis acculée, ce sont les autres qui m'obligent, et je dois aujourd'hui me décider, car je n'aurai pas la force de résister à cette pression insidieuse, pas plus que d'assumer la destinée qui m'est préparée. Pour avoir la paix, je risque de devoir me résigner, me convaincre que, finalement, Georges n'est pas le pire, il n'est ni chauve ni ventripotent, il n'a pas mauvaise halcine, il est drôle et cultivé, il me laissera une paix royale, préoccupé à mener sa vie comme il l'entend. Je risque de céder, d'accepter la compromission de ce mariage de convenance, le mot est parfait, mais ce n'est pas de cela que je rêvais. N'existe-t-il d'autre choix pour une femme que d'obéir à son père et de suivre la loi de son milieu : baisser la tête et rentrer dans le rang ?

La maison est calme comme un cimetière, il n'y a plus un bruit depuis longtemps. Il n'est pas si tard, les poules dorment déjà, je vais pouvoir le rejoindre. Je ne reviendrai pas, ce sont les derniers instants que je passe dans cette demeure. Je suis la plus heureuse des femmes d'avoir fait ce choix, je n'ai aucun regret. Ou peut-être nous organiserons-nous autrement ? Je regagnerai ma chambre pour mieux préparer notre départ, prendre des affaires, puis disparaître pour toujours. Sans prévenir. Sans laisser de trace. Qui s'en souciera ? Louise, certainement, mon frère aussi. Mon père ? *Tiens, où est-*

elle passée, celle-là ? Attendons un jour ou deux pour prévenir la gendarmerie, ou nous serons ridicules. Ils se morfondront, seront taraudés par l'incertitude et la culpabilité, mais on ne me retrouvera jamais, j'aurai changé de nom, c'est si facile quand on arrive à Long Island, paraît-il. Et plus personne dans ce maudit pays n'entendra parler de moi. La fille qui n'existait pas se sera évanouie dans la nature.

J'éteins la lumière, je tends l'oreille, tout est tranquille. J'avance à tâtons dans le noir, rassurée, mes chaussures à la main, je me guide comme une aveugle, ma main effleure le mur, je connais chaque parcelle de ce parquet. Je descends deux marches et soudain, un grincement me fait sursauter et tourner la tête. Mon frère sort des toilettes, en chemise de nuit, tenant une bougie presque consumée d'une main et un livre de l'autre. Il lève son bougeoir, stupéfait de me voir, son poing se met à trembler, la flamme vacille, et il se brûle avec la cire chaude, une petite grimace apparaît sur son visage embarrassé.

– Je…, murmure-t-il.

– Chut…, fais-je en mettant un doigt sur mes lèvres.

Il s'approche, m'examine à la faible lumière, me découvre habillée, j'essaye de lui sourire, j'ai les joues en feu, je dois être rouge comme un coquelicot, il n'a pas l'air de le remarquer, je lui désigne sa chambre dans le couloir, il hoche la tête, je continue ma descente, je me retourne, il est sur le palier.

– Chut...

Sa main est posée sur la rampe, j'ai le sentiment qu'il me sourit. J'avance lentement, j'arrive au rez-de-chaussée, je lève la tête, la cage d'escalier est noire. Paul est retourné dormir. Hormis le tic-tac de l'horloge picarde, la maison est silencieuse. J'ouvre la porte et je m'envole dans le courant d'air.

*

La Lanterne, 16 avril 1890

« *Le romancier le plus "vendu". Voici qui va faire réfléchir M. Zola. Il paraît que c'est un romancier américain, dont la réputation n'a pas encore passé l'Océan, qui tire le profit le plus considérable de ses livres. M. J. W. Buel a écrit quatorze ouvrages, dont la vente s'élève à plus de deux millions et demi d'exemplaires. Ces œuvres ont été éditées par voie de souscription. La plus populaire est :* Une belle histoire, *tirée à 600 000 exemplaires en moins de deux ans. Deux autres livres :* Le Monde vivant *et* l'Histoire d'un homme *ont atteint un quart de million d'exemplaires chacun. En 1888, M. Buel a touché environ 173 000 francs de droits d'auteur, et cette année ceux-ci dépasseront 250 000 fr.*

Aujourd'hui paraît le Supplément littéraire. »

*

Vincent m'aimait, c'était une certitude, j'en avais la preuve à la manière dont il m'accueillait chaque nuit, son sourire me désemparait, sa fébrilité et sa gentillesse ne pouvaient me tromper. Ce soir-là, je me donnai à lui, sans autre pensée que son plaisir, je l'embrassai avec fièvre et il m'embrassa comme jamais il ne l'avait fait, et pour la première fois depuis que j'étais devenue sa maîtresse, je sentis au fond de moi une chaleur étrange, une onde indéfinissable, pas désagréable, surgie du néant, et qui resta en suspension au bord de mon corps. Je m'abandonnai, je le serrai de toutes mes forces, prête à le rejoindre dans l'univers du plaisir, mais je ne sentis rien d'autre que Vincent qui s'agitait, je l'entendis crier, une plainte de bonheur, il se redressa vivement comme s'il venait d'être transpercé par une flèche et me retomba dessus telle une masse. Puis il me caressa le visage.

– Tu as senti quelque chose cette fois ?

– Oui, une sensation fugace.

– Ça va venir, mon petit tournesol, j'en suis sûr.

Je m'en fichais de ne rien ressentir, comment regretter un émoi que l'on ne connaît pas ? Mon plaisir, c'était Vincent, qui ne faisait qu'un avec moi, nue contre lui, et nous étions les êtres les plus heureux qui soient, emplis et épanouis de notre union.

J'avais pensé le gronder pour son esclandre, mais j'y renonçai, je lui rapportai la réaction de mon père et l'interdiction de séjour à laquelle il avait été condamné.

– Si je ne vois plus ton père, ce ne sera pas une grande perte. Comme médecin, il ne sert à rien, et ce n'est pas un ami non plus. Peut-être cela va-t-il te compliquer la vie ?

– J'ai une chose importante à vous dire, très importante même.

– Attends une seconde.

Vincent attrapa sa pipe, l'alluma et s'assit au bord du lit. Je me redressai et m'adossai au mur, ramenant le drap sur moi et calant le polochon entre mes jambes.

– Vous connaissez l'Amérique, Vincent ? Vous en avez entendu parler, vous avez lu les articles dans les journaux. La société est nouvelle, tout y est possible ; pour les gens comme nous, c'est le continent de l'espoir, les règles qui nous entravent sur cette terre de nantis ne sont pas de mise là-bas, il n'est pas obligatoire d'être bien né pour réussir, il n'y a pas de familles installées qui commandent les autres, pas de places réservées à leurs enfants, chacun doit gagner la sienne, c'est le territoire de la liberté, ce n'est pas un mot en l'air comme ici, c'est la loi pour tous, il suffit d'avoir du courage, de travailler, et chacun récolte le fruit de sa peine, peut nourrir sa famille et élever ses enfants dignement. Dans ce nouveau monde, on peut avoir confiance dans l'avenir, il n'y a pas l'obligation d'attendre d'être vieux pour percer, l'espoir est du côté de la jeunesse. Et surtout, ils ont besoin d'artistes, ils n'en ont pas, ce n'est pas comme ici où tout est figé, il n'y a pas d'académies, pas de salons, pas de condition de sexe, les bons peintres sont très demandés, les gens qui ont un peu de bien ont envie d'avoir de belles choses chez eux, et ils sont obligés de venir en acheter chez nous. Vous comprenez ? Tout est neuf dans cette contrée, les hommes, les idées, les lois. Depuis longtemps, j'ai le projet de partir, de tenter l'aventure, je me suis renseignée, et je me suis dit que nous devrions y aller ensemble. C'est la solution pour nous. Ils accueillent à bras ouverts les gens qui ont du talent. Alors, vous imaginez quand ils verront votre peinture ? Elle est à l'image de ce pays, originale, moderne et lumineuse, vous aurez un succès immense, les gens s'arracheront vos tableaux. Nous nous installerons à New York, c'est une ville qui change chaque jour, nous peindrons, nous serons heureux, libres de faire ce qui nous plaît, nous pourrons avoir des enfants, si vous voulez, moi j'aimerais bien, vous verrez, c'est merveilleux d'avoir une famille. On n'est pas forcés de se marier, moi, la seule chose que je veux, c'est vivre avec vous, et peindre, mais je ne vous dérangerai pas, n'ayez pas peur, je ne serai pas un souci pour vous, vous n'aurez pas à vous préoccuper de moi, là-bas les femmes gagnent leur vie. Et vous savez, j'ai pensé à tout. J'ai l'argent du voyage, j'ai les bijoux de ma mère, ils ont une grande valeur, je vais les vendre, et nous aurons de quoi vivre pendant un an ou deux, le temps de nous installer, de nous faire connaître et de vendre nos toiles. Et si ce n'est pas suffisant, j'ai ma meilleure amie qui a du bien et qui est d'accord pour me faire un prêt ou acheter mes dessins, je n'ai qu'à lui demander. Partons ensemble, Vincent. C'est une chance unique que nous avons d'être heureux. Ici, vous n'arriverez à rien, les médiocres empêchent les génies d'éclater, les combinards et les intrigants vous détesteront toujours. De quoi a-t-on besoin ? D'être ensemble, de peindre, c'est tout. Je passe à la maison prendre les bijoux de ma mère, j'ai un peu d'argent de côté, et j'ai vu une réclame d'un bijoutier près de la gare Saint-Lazare qui achète les bijoux à un bon prix. On part quand vous voulez, on prend le bateau au Havre, on s'en va et on aura la belle vie. Et puis, l'Amérique ce n'est pas si loin, on reviendra quand on aura le mal du pays, votre frère pourra venir avec son épouse et son petit, et qui sait ? peut-être s'installera-t-il là-bas à son tour, il y a des affaires à faire pour lui, avec tous les peintres qu'il connaît, il peut gagner beaucoup d'argent. Ce n'est pas une bonne idée, Vincent ?... Hein, qu'en pensez-vous ? Vous ne dites rien.

Vincent tira sur sa pipe, elle s'était éteinte. Il eut une moue, je n'arrivais pas à savoir s'il y croyait ou pas, si je l'avais convaincu ou s'il doutait encore. Il y eut un long silence, puis il me sourit.

– Pourquoi pas, cela ne pourra pas être pire qu'ici. Quoique... je ne sais pas... Faut voir. C'est une idée qui plairait bien à Gauguin ; lui, il partirait tout de suite, c'est sûr.

– Oh, il n'y a pas de problème, vous pouvez lui dire de venir avec nous.

– Tu vas continuer à me vouvoyer longtemps ?

*

La Lanterne, 29 juin 1890

« *Un instituteur vient d'être révoqué en Belgique, pour avoir tenu, au cabaret, des propos qui ont amené le conseil communal à constater… qu'il ne croyait pas à l'Immaculée Conception !…* »

*

Il aurait pu m'éclater de rire au nez, me traiter de folle ou de fille stupide, il a été seulement surpris de ma proposition. Il ne devait pas s'attendre à ce que je conçoive un projet d'une telle audace. Il a voulu savoir depuis combien de temps j'y pensais, les raisons qui m'avaient conduite vers cette décision. Il a été étonné quand j'ai rapporté mes relations détestables avec mon père, la contrainte d'épouser un mari dont je ne voulais pas, et le peu d'espoir qui resterait dans ma vie si j'y consentais, refusant d'être réduite à l'état de potiche et de génisse. Nous avons discuté toute la nuit. En réalité, Vincent ne connaissait pas vraiment l'Amérique, il n'y avait jamais songé comme à une terre d'accueil. C'était la France qu'il avait choisie, il se sentait français, plus que tout, et n'avait pas envie d'émigrer à nouveau.

Pourtant, le marchand d'art pour lequel son frère travaillait avait une succursale à New York, et il avait évoqué avec ce dernier cette hypothèse à deux ou trois reprises sans y donner suite. D'après lui, et c'était une certitude absolue, aucun peintre sur aucun continent, qui connaissait un tant soit peu la peinture, ne pouvait imaginer une autre destination que Paris pour s'y établir. C'était ici qu'il fallait exposer, ici qu'il fallait se faire un nom et vendre ses toiles, quitte à les vendre à des Américains, il pensait qu'un peintre devait être ballot ou au bout du rouleau et désespéré pour traverser l'Atlantique et s'installer dans le Nouveau Monde. Il ajouta qu'on avait arrêté de compter les Américains et les Canadiens qui avaient fait le chemin dans l'autre sens, tant ils étaient nombreux dans les académies de peinture à s'imprégner des nouveaux courants, car chez eux, il n'y avait rien d'intéressant pour un peintre, c'est-à-dire pas d'autres peintres avec qui discuter et auxquels se confronter, et aujourd'hui, pour rencontrer des artistes américains, il suffisait de fréquenter les guinguettes de Montmartre, on y entendait baragouiner autant l'anglais que le français.

Il était impossible de rétorquer raisonnablement à cet argument et je commençais à désespérer quand Vincent m'expliqua que s'il n'avait pas l'intention de s'exiler au pays des bisons et des Peaux-Rouges, par contre il envisageait de retourner au bord de la Méditerranée, le plus beau coin qu'on puisse imaginer, et que, si les gens du cru étaient peu sympathiques, il y avait là-bas une lumière magique qui permettait de faire des tableaux merveilleux, il suffisait de se laisser aller, la couleur venait toute seule, la mer était d'un bleu inouï, impossible à attraper, et le ciel aussi, et les rochers étaient si tordus qu'on aurait pu se croire au Japon, oui, c'était le seul endroit où il avait envie de vivre, à part Auvers qui lui plaisait tant, avec ses toits de chaume qui le bouleversaient. Des amis lui avaient parlé d'un lieu, à côté de Marseille, où la falaise se jette dans la mer avec une violence que jamais aucun peintre n'avait encore réussi à saisir, et de ce village où Cézanne avait peint des toiles d'une immense beauté; depuis qu'il les avait vues, il rêvait d'y aller à son tour.

Je ne voyais pas d'inconvénient, au contraire, à descendre dans le Sud, moi ce que je voulais, c'était vivre avec lui, et on pourrait plus facilement s'installer dans cette région qu'en Amérique, le voyage étant moins compliqué et moins coûteux. On était restés sur cette idée. *Faut voir,* répétait-il. Cette perspective ne lui déplaisait pas, c'était une avancée magnifique. Vincent n'avait pas dit oui, mais il n'avait pas dit non, il avait fait bien mieux, il avait laissé un espoir pour nous, et en quittant l'auberge Ravoux, dans le jour naissant, j'étais aussi légère que l'oiseau qui s'envole pour la première fois dans le ciel.

Une ombre grise chassait les ténèbres, le village était désert. Les paysans n'allaient pas tarder à rejoindre les champs. Jamais je n'étais revenue si tard, il faudrait que je sois plus vigilante à l'avenir, nous avions tellement discuté. Il faisait froid et j'ai frissonné. La maison dormait, j'ai gravi les escaliers avec précaution, j'ai tendu l'oreille, le silence m'a rassurée, j'ai poussé la porte de ma chambre et je m'apprêtais à m'étendre sur mon lit quand j'ai entendu le bruissement familier d'un ressort qui grince. Je me suis retournée, une silhouette, assise dans le fauteuil, venait de se dresser.

*

Lettre de Vincent à Théo, 29 ou 30 mai 1888

« J'ai écrit à Gauguin et j'ai seulement dit que je regrettais que nous travaillions si loin l'un de l'autre… Il faut compter que cela traînera peut-être des années avant que les tableaux impressionnistes ayent une valeur ferme… Mais il a un si beau talent qu'une association avec lui serait un pas en avant pour nous… Je t'ai dit très sérieusement que si tu veux j'irai en Amérique avec toi si toutefois ce voyage serait de longue durée et si cela en vaut la peine. »

*

215

Mon cœur s'est arrêté de battre quand mon père a approché, tel un fantôme, j'étais tétanisée. Je ne l'avais pas reconnu, assis dans la pénombre, mais avec les filaments de jour qui traversaient les persiennes, je devinais sa silhouette, il portait sa robe de chambre en soie beige. Il s'est arrêté à vingt centimètres de moi, nous sommes restés face à face, sans doute attendait-il une explication, mais que dire ? Ou il hésitait, comme à son habitude. Il a eu tort de se taire, mon cœur est reparti. Je ne devais pas avoir peur de lui, je n'avais rien fait dont j'aie à rougir, j'étais devenue une femme qui ne devait craindre personne ; si je devais l'affronter, autant que ce soit sur-le-champ, je pouvais le faire sans honte et sans baisser la tête, je n'étais plus une enfant et n'avais rien commis de répréhensible, ou alors c'était l'amour qui était condamnable. Il allait se mettre à crier, à hurler, je le connaissais, c'était dans son tempérament, j'attendais qu'il se déchaîne mais il ne disait rien, et ce silence me désorientait.

Son visage s'est avancé, je sentais son souffle, j'apercevais une lueur dans ses yeux. Peut-être devrais-je lui avouer la vérité, lui raconter le tremblement de terre qui avait tourneboulé ma vie et la place qu'y tenait Vincent, et nos projets, que nous envisagions de partir ensemble. Je connaissais le couplet qu'il chanterait pour me dissuader : je n'étais qu'une enfant, mineure, et je devais encore lui obéir en tout pendant deux ans. Mais j'étais sûre de moi, s'il s'y opposait, j'étais déterminée à passer outre et à m'enfuir, il ne pourrait pas m'empêcher de vivre comme je l'entendais, et il valait mieux pour nous tous que les choses se passent sans problème et sans cri. S'en doutait-il déjà ? Comment savoir puisqu'il restait muet ?

Je n'ai pas vu son bras se lever, pas plus que je n'ai vu son corps bouger. C'est une statue qui m'a frappée, avec la force d'une main en marbre. La violence du coup m'a fait tourner sur moi-même. Ma tête résonnait, ma joue était en feu, je suis partie en arrière et suis tombée sur le lit, il s'est jeté sur moi, m'a giflée avec hargne à plusieurs reprises et il s'est mis à me battre comme plâtre. Je criais de douleur, essayais de me protéger le visage ; dans sa fureur, il me frappait du plat du poing, la souffrance était insupportable. Il hurlait plus fort que moi, la vigueur de ses frappes commençait à diminuer, ou c'est moi qui ne sentais plus la douleur. Je n'avais plus l'énergie de me défendre, c'était la fin, il allait me tuer et, à ce moment-là, ma dernière pensée a été pour Vincent, que je ne reverrais plus jamais.

Je n'ai pas entendu la porte qui s'ouvrait, ni vu mon frère qui sautait sur mon père, le ceinturait avec vigueur et l'écartait de moi sans ménagement, pendant que Louise se penchait sur moi et m'éclairait avec sa lampe à pétrole. Je me souviens de ses traits effrayés. Elle a caressé mon visage, elle a regardé sa main rougie par mon sang, et elle a murmuré : *Mon Dieu, vous l'avez tuée.* C'est à cet instant que mes yeux se sont fermés.

*

Lettre de Vincent à Théo, 29 mai 1888

« *Je crois de plus en plus qu'il ne faut pas juger le bon Dieu sur ce monde-ci, car c'est une étude de lui qui est mal venue… Ce monde-ci est bâclé à la hâte dans un de ces mauvais moments où l'auteur ne savait plus ce qu'il faisait, où il n'avait plus la tête à lui.* »

*

Quand j'ai ouvert un œil, il faisait jour, j'ai reniflé à plusieurs reprises, j'ai senti une curieuse odeur d'écurie, pourtant je me trouvais dans ma chambre, étendue sur mon lit, tout habillée. Lentement, des bribes de souvenirs sont venues se coller les unes aux autres, je me suis demandé si j'avais fait un cauchemar ou… Je me suis dressée et n'ai pu réprimer un cri de souffrance, j'étais percluse de douleur, comme si j'étais tombée d'une diligence. Je me suis levée avec peine, j'avais le tournis, ma tête pesait une tonne, j'ai dû me tenir à la table pour ne pas tomber. Dans le miroir, j'ai aperçu une femme que je n'ai pas immédiatement reconnue, j'ai été horrifiée de découvrir mon visage strié d'éraflures et marqué de rougeurs avec, sous l'œil gauche, une tache violette, et en dessous, la pommette tuméfiée. Je n'arrivais pas à

croire qu'il m'ait défigurée de la sorte. J'ai passé la
main sur mes hématomes et j'ai pris la décision de quitter sur-le-champ cette maison, où mon père avait voulu
me tuer. Je n'avais pas fait deux pas que je m'immobili-
sai, me demandant quelle serait la réaction de Vincent
en me voyant ainsi. Voudrait-il encore de moi ou s'en
prendrait-il à mon père pour le punir de son agression ?
Cette hypothèse m'effrayait ; à coup sûr, leur prochaine
rencontre risquait de virer à l'affrontement, il était préférable de réfléchir avant de se lancer dans l'inconnu.
Et que diraient les voisins en me croisant ? Peut-être
ferais-je mieux de sortir à la nuit tombée, dissimulée
derrière une voilette. Ou était-il préférable d'attendre
que mon apparence ait repris une forme humaine ?
J'étais agitée par ces réflexions contradictoires, quand
j'ai ressenti une contraction dans l'estomac. J'avais
faim, tout simplement, je n'avais aucune idée de l'heure
qu'il était. Je me suis dirigée vers la porte, elle ne s'est
pas ouverte, j'ai insisté mais elle était fermée de l'extérieur, j'ai frappé de petits coups.
   – Hé, Louise, tu m'entends ? Viens m'ouvrir, s'il te
plaît.
   J'ai attendu et j'ai renouvelé mon appel. J'ai entendu
des pas dans le couloir et la serrure qui tournait. Mon
père est apparu. Il m'a considérée d'un air indifférent,
comme si rien ne s'était passé, il ne m'a pas demandé
si j'avais mal, pas plus qu'il ne s'est excusé de m'avoir
défigurée. Nous sommes restés face à face.

– J'ai faim.

– Louise va te monter quelque chose à manger.

– Ce n'est pas la peine, j'ai la force de descendre à la cuisine pour me servir moi-même.

– Tu restes dans ta chambre.

Il m'a fixée d'un regard impassible, s'est reculé et, avant que j'aie pu réagir, a fermé à clef. J'avais du mal à croire qu'il m'ait enfermée dans ma propre chambre, je me suis mise à tambouriner contre le panneau. Je n'ai pas eu à attendre longtemps pour entendre à nou veau la serrure qu'on ouvrait de l'extérieur Mon père est apparu, j'ai reculé de deux pas.

– Ça suffit ! s'est-il écrié. Tu n'as pas honte ? Tu m'as déshonoré.

– Je vais vous expliquer.

– Tu t'es bien moquée de moi, tu as trahi ma confiance, maintenant tu vas m'obéir, de gré ou de force. Je te punis comme tu le mérites. Tu ne sortiras plus de ta chambre, jusqu'à ce que l'autre ait quitté ce village.

– Vous n'avez pas le droit de me séquestrer.

– J'ai tous les droits, tu es ma fille, tu es mineure. Tu as juste le droit de te taire. Si je le décidais, je pourrais le faire envoyer en prison, et ce n'est pas l'envie qui m'en manque. Je m'abstiens par crainte du scandale, parce que j'ai une réputation à tenir. Mais je vais y réfléchir, crois-moi, il a besoin d'une bonne leçon.

– Vous ne pourrez pas m'enfermer éternellement, un

jour ou l'autre je sortirai de cette chambre, et ce jour-là, je vous préviens, je partirai le rejoindre, et je le retrouverai, où qu'il soit, et je serai à lui, que cela vous plaise ou non, et j'espère que cela vous déplaît, mais personne ne m'empêchera d'être sa femme.

– Tu ne quitteras cette chambre que pour épouser le fils Secrétan. Ou quand tu seras majeure. Et je te préviens : si tu réussis à t'enfuir, ce sont les gendarmes qui te ramèneront, et lui pour le coup, il ira en prison, je te le promets, et c'est toi qui l'y auras envoyé.

*

La Lanterne, 26 juin 1890

« *Le tribunal de Nîmes vient d'élever un monument juridique qui est pour faire la joie des générations à venir. Deux époux, qui plaident en divorce, se disputent la propriété d'une bague de 2 000 francs que le mari a donnée à la femme au cours du mariage... La bague reste la propriété du mari. Le tribunal a jugé que le mari avait donné la bague à sa femme pour qu'elle s en parât dans l'intérêt et la gloire du ménage... Du moment que la femme s'en va, il faut qu'elle rende la bague, comme un domestique rend le tablier dont on lui permettait de se servir pour l'honneur de la maison.* »

*

C'est ainsi que ma séquestration a commencé. J'ai du mal à me souvenir avec précision de l'état d'esprit de la gamine que j'étais, je me demande, maintenant que plus de soixante ans ont passé, comment j'ai pu supporter cette violence et cet emprisonnement sans me révolter, sans casser la fenêtre et sans me précipiter dehors pour le rejoindre. Peut-être que si j'avais pris ce risque, notre vie se serait déroulée autrement, mais j'étais jeune et je n'ai pas osé passer outre à son oukase, il s'agissait pour moi d'une transgression impossible à commettre. Je crois surtout que la société a tellement changé pendant cette période qu'on a du mal à comprendre à quel point une jeune fille de cette époque était sous la coupe de son père, qu'elle subissait avec fatalisme la pesanteur de son milieu, contre lequel il était invraisemblable d'imaginer se rebeller. On pouvait être en colère, pleine de rage, mais on courbait la tête et on subissait avec résignation. La violence faisait partie du quotidien des femmes qui n'obéissaient pas au doigt et à l'œil aux ordres de leur maître, qui se cabraient ou contestaient ses décisions et, sauf à avoir tué son épouse sous les coups, l'homme bénéficiait d'une quasi-impunité devant les tribunaux en invoquant le droit de correction que la nature et la loi lui attribuaient en sa qualité de chef de famille ; le père bénéficiait sur ses enfants de la même toute-puissance tant qu'ils n'avaient pas quitté le domicile familial. Comme j'envie la position des femmes d'aujourd'hui, leur indépendance durement gagnée, même s'il reste beaucoup à accomplir. Que de libertés acquises, que de chemin parcouru, mais en ce temps, le monde était différent, et je crois que c'est cet atavisme social qui m'a fait accepter la décision de mon père.

Je suis devenue prisonnière dans ma maison, mon père s'est mué en gardien de prison et moi en détenue, avec une rapidité qui me sidère aujourd'hui. J'ai baissé la tête, j'ai joué celle qui était vaincue, et j'ai agi comme la plupart des détenus, j'ai rusé, avec l'intention de contourner les interdictions, j'ai fait semblant d'obéir pour écarter la lourdeur du règlement. Mon père ouvrait et fermait la porte à clef, il la gardait dans sa poche, il s'assurait que les volets étaient bien clos. Lorsqu'il pénétrait dans ma chambre, il ne manifestait pas d'agressivité, il inspectait la pièce lentement et sortait sans dire un mot. Il ouvrait à Louise qui m'apportait un plateau, le déposait sur la table ronde et quittait la pièce sans m'avoir accordé un regard. Quand je devais faire mes besoins, je cognais contre le battant, il m'accompagnait aux toilettes, il m'attendait devant, puis me raccompagnait à ma chambre, où il m'enfermait.

Un peu plus tard, il est entré et s'est mis à empiler tous les livres qu'il a trouvés, il a vidé les étagères de ma bibliothèque et a dû faire trois voyages pour déposer les ouvrages en dehors de la pièce. Il ne m'a laissé aucun volume, et quand je lui ai dit que j'allais m'ennuyer à mourir si je ne pouvais me distraire l'esprit, il a fermé derrière lui. Une heure après, il a apporté la vieille bible qui avait appartenu à ma mère et l'a posée sur le lit.

Le matin et le soir, j'avais le droit de faire un tour de jardin pour me dégourdir les jambes, il s'asseyait dans le fauteuil en osier mais ne me quittait pas des yeux, et quand je lui ai dit qu'il me fallait des livres pour m'occuper pendant les longues heures où je restais seule, il m'a répondu de ne pas perdre mon temps à bavarder inutilement durant ma promenade.

*

Lettre de Vincent à sa sœur Willemine,
19 septembre 1889

« *Parce que je peins quelques fois des chôses comme cela – aussi peu et autant dramatique qu'un brin d'herbe poudreux au bord de la route – il est juste à ce qu'il me semble que j'aie moi une admiration sans bornes pour de Goncourt, Zola, Flaubert, Maupassant, Huysmans. Mais pour toi rien ne presse et continue hardiment les Russes.* »

*

Ce que j'espérais a fini par se produire trois jours plus tard, mon père a dû retourner à Paris pour assurer ses consultations, je l'ai appris quand j'ai vu apparaître mon frère qui avait été nommé garde-chiourme adjoint pendant son absence. Malgré les consignes reçues – on lui avait défendu de m'adresser la parole et de me répondre –, il s'est assis sur le lit, le visage accablé, et m'a demandé de ne pas révéler à notre père qu'il avait osé me parler, il avait été menacé des pires sanctions s'il enfreignait les ordres reçus. Mais il n'en pouvait plus de cette situation horrible, et ce qu'il avait sur le cœur lui pesait tant. Il avait l'air si pitoyable, si malheureux, que je me suis précipitée, je l'ai pris dans mes bras et l'ai serré contre moi, malgré la douleur que j'avais dans le cou.

– Pardon, murmura-t-il au creux de mon oreille. Je t'en supplie, Marguerite, pardonne-moi.

– Mais de quoi, mon pauvre Paul ? Tu n'as rien fait.

– Tout est de ma faute. C'est moi qui ai prévenu notre père que tu avais quitté la maison. J'ai eu une réaction stupide. Comment aurais-je pu me douter ? Si j'avais su, je ne serais pas allé le réveiller. Je m'en veux tellement.

– C'est vrai, mais tu ne pouvais pas deviner, j'aurais dû prendre plus de précautions, et puis quelle importance maintenant ? C'est moi qui te remercie d'être intervenu, tu m'as sauvé la vie. Si tu n'avais pas eu le courage de te jeter sur lui, il m'aurait tuée.

– Quand on voit ce genre de chose, on ne réfléchit pas. Je ne pouvais pas le laisser continuer à te battre ainsi. Mais c'est un mal pour un bien, maintenant, il a confiance en moi. Je suis censé te surveiller durant ses absences ; avec moi, ce ne sera pas trop dur, je ne suis pas lui, ne t'inquiète pas. Dis donc, il t'a drôlement arrangée.

*

La Lanterne, 8 avril 1890

« *Jack l'Éventreur serait-il un Chinois ?... Voici, en effet, ce qu'on télégraphie de Londres : L'autre soir, une prostituée, la nommée Helena Montana, suivit un Chinois dans une maison mal famée. Peu après, elle sortait. Le Chinois la suivit à quelque distance jusqu'au tournant d'une petite rue, où il l'assassina... Sous ce rapport donc, c'est une réédition des précédents assassinats du quartier de Whitechapel. Cette fois encore, l'assassinat a pu se commettre dans ce quartier extrêmement populeux sans laisser la moindre trace extérieure permettant de découvrir l'auteur du crime. La victime avait au cou une entaille allant d'une oreille à l'autre, tout le corps était horriblement mutilé, les intestins étaient enlevés, comme lors des crimes précédents de "Jack l'Éventreur".*

On annonce, au dernier moment, que les investigations de la police l'ont conduite dans une maison fréquentée habituellement par les Chinois qui travaillent comme ouvriers à bord des navires arrivant à Londres : une trentaine de Chinois du type le plus abject, mais se ressem-

blant tous exactement, s'y trouvaient réunis. Tous ont été arrêtés. »

*

Pour que ça se répare, faut du temps, pas longtemps, mais un peu de temps quand même, répétait Louise deux fois par jour quand elle me soignait, *et de la patience aussi, comme ça tu auras le temps de réfléchir; à ton âge, on est toujours pressé pour tout*, insistait-elle en appliquant sur mes hématomes une pâte brune épaisse à base d'acide phénique, qui dégageait une odeur désagréable de foin décomposé, un remède quasi miraculeux qui n'existait pas de son temps. Elle m'avoua avoir fait le déplacement exprès à Pontoise à la pharmacie du père Secrétan, et que ce dernier en personne avait préparé cette potion au dosage de son cru, assurant qu'elle réparait les bleus et les horions en moins de temps qu'il n'en fallait pour l'étaler. Elle s'était gardée de l'informer du nom de l'heureuse bénéficiaire de cette crème, il avait supposé que mon frère s'était reçu une tourlousine, elle était restée sur son quant-à-soi et il avait pris sa réserve pour une confirmation. Il avait conclu qu'il ignorait si la dégelée paternelle était indispensable, mais que, si elle ne l'était pas, elle vaudrait pour toutes les fois où il en aurait mérité une et n'avait rien reçu. Il avait bien ri de son trait d'esprit, affirmant que les marques auraient disparu de son visage pour le prochain déjeuner auquel nous étions conviés, le troisième dimanche de juillet. Paul qui écoutait, assis sur le lit, leva les yeux au ciel en secouant la tête, avec une façon qui me rappela mon père.

De la patience, il m'en manquait assurément, et dans la même journée, je changeais dix fois d'avis, pensant qu'il était inutile d'attendre plus longtemps, que je devais me précipiter retrouver celui que mon cœur avait choisi, sans me soucier de ce qui pourrait se produire si nous prenions le train pour le Midi ou partions comme je l'avais conçu pour l'Amérique. Qui aurait l'idée de nous y chercher ? Et avant qu'ils y songent, je serais libre et majeure. Peut-être était-ce le coup de pouce qui déciderait Vincent à se lancer : la crainte d'être poursuivi par les gendarmes, la peur d'être condamné pour détournement d'une mineure le pousseraient à tenter l'aventure là-bas, il n'aurait alors plus rien à perdre. J'avais mes bijoux, et je pouvais recourir à l'aide de mon amie Hélène, nous aurions de quoi vivre le temps qu'il se fasse connaître. Et puis, je me disais qu'on ne force pas le destin, qu'on ne menace pas l'homme qu'on aime pour obtenir son consentement, que s'il y était contraint, il pourrait me le reprocher, je ne voulais pas de cette bassesse entre nous. Je craignais un coup de sang de Vincent, qu'il s'en prenne à mon père et lui fasse subir le même sort qu'il m'avait fait éprouver, cette idée me terrorisait. Quelques minutes plus tard, survenait l'envie de Vincent, de le voir, de l'entendre, de lui caresser le visage et qu'il m'embrasse comme il savait si bien le faire, je me saisissais du sac avec mes bijoux, décidée à m'enfuir dès que l'occasion se présenterait. J'attendais, assise sur mon lit, puis cette bouffée de liberté qui m'avait submergée se délitait, et une angoisse sans nom revenait me hanter.

Très vite, quand le chat retourna à Paris, la discipline se relâcha. Louise trouva que c'était peu pratique d'appeler mon frère et d'attendre qu'il vienne ouvrir quand elle avait besoin d'entrer et suggéra qu'il pourrait laisser la porte close sans la fermer à clef dans la journée. En semaine, quand nous n'étions que tous les trois, mon frère prit l'habitude de ne pas m'enfermer dans ma chambre mais, à deux reprises, il oublia de pousser la serrure la nuit venue. Je m'en rendis compte le matin quand Louise entra sans y prendre garde. Je fus obligée de le rappeler à l'ordre et de le sermonner car, si mon père arrivait sans prévenir, il s'exposait à de terribles reproches et punitions pour cette étourderie. Il s'excusa, prétextant qu'il avait le plus grand mal à entrer dans la peau du geôlier qu'on voulait lui faire jouer.

Bien me prit de ma prévoyance. Mon père revint le jeudi soir à l'improviste, ayant annulé ses consultations du vendredi, et j'ai réalisé alors que le pire pouvait advenir : Vincent, n'étant pas prévenu de la situation et s'inquiétant de ne plus me voir, risquait de se présenter pour demander de mes nouvelles. Que se passerait-il si mon père lui ouvrait ? Ne risquaient-ils pas d'en venir aux mains ? Pour éviter cette extrémité, je me décidai à écrire à Vincent. Cette lettre me demanda des efforts considérables d'attention dans sa rédaction et je dus m'y reprendre une dizaine de fois pour chaque ligne avant de trouver la bonne formulation. Qu'il est difficile de trouver le chemin entre ce qu'il faut dire et ce qu'il faut voiler, ce que vous révélez à demi-mot et ce qui sera compris.

Vincent, mon amour,

Cinq jours que je ne vous ai serré dans mes bras, et c'est une éternité. Quel bonheur de vous retrouver enfin, même si c'est avec la pensée. Je ne sais si cette séparation vous plonge, comme moi, dans un tel état de désespérance, mais il ne s'agit pas d'un jeu cruel auquel je me livre à vos dépens, j'ai fait une mauvaise chute dans les escaliers, rien de grave, mais je suis éraflée de partout. Je dois garder la chambre quelques jours, le temps de retrouver un visage avenant. Il n'est pas utile que vous veniez à la maison, car je me demande si mon père ne se doute pas de quelque chose. Les heures sont interminables, mais chaque seconde qui passe me rapproche un peu plus de l'instant où je vous retrouverai. J'attends avec impatience le moment de vous revoir et d'admirer vos si belles peintures, elles sont gravées au fond de mon cœur, je les vois à chaque instant, et je me demande si c'est vous ou elles qui me manquez le plus.

Marguerite qui vous adore

Une fois que ce billet qui me donna tant de mal fut rédigé, je ne sus comment le faire parvenir à Vincent. Le soir, quand Louise me badigeonna de sa crème puante, elle trouva qu'il y avait de l'amélioration ; d'après elle, les marques devraient disparaître en une semaine, deux tout au plus. Je tentai une approche et l'interrogeai pour savoir ce qu'elle pensait de cette histoire. J'aurais mieux fait de continuer à ignorer son avis, car elle n'en pensait que du mal, non parce que j'avais découché, mais pour le tracas que cela lui avait occasionné avec mon père, convaincu qu'elle était au courant de mes escapades. Louise n'aurait jamais imaginé que j'aie si peu de cervelle, elle était tombée des nues en l'apprenant, quand elle avait vu mon père me donner la correction. *Que tu mérites amplement*, se crut-elle obligée de préciser. Mon père avait été à deux doigts de la congédier sur-le-champ, il avait fallu qu'elle se jette à ses pieds et le supplie de n'en rien faire, jurant qu'elle ignorait tout de mon inconduite et ne pouvait donc le prévenir.

– Il faudra que tu lui dises, ajoutai-je, que tu pouvais d'autant moins le savoir que c'était la première fois que cela se produisait.

Louise parut aux anges, ce fut comme un poids qui s'envola de ses épaules. Elle me demanda de préciser ce détail capital dès que je verrais mon père, que lui-même en serait réconforté et m'en tiendrait compte en vue d'un adoucissement de ma punition. Je n'aurais pas cru qu'un si petit mensonge pût faire tant d'effet.

— Aurais-tu la gentillesse de me rendre un service ?

— Bien sûr, ma douce, que te faut-il ?

Je sortis la lettre cachetée d'une poche de ma robe et la tendis à Louise.

— Peux-tu porter ce pli à Vincent, à l'auberge Ravoux, et le lui remettre de ma part ? Et demande-lui s'il y a une réponse. Cela doit rester entre nous, il n'est pas utile que mon père soit au courant.

Louise jeta l'enveloppe sur le lit, comme si elle lui brûlait les mains.

— Qu'as-tu besoin d'écrire à ce va-nu-pieds que tu n'as vu qu'une fois, soi-disant ? Tu as profité de moi et m'as joué un vilain tour. Ton père a eu bien raison de te corriger. Ne compte pas sur moi pour participer à ce genre de manœuvre.

Elle sortit en fermant à clef derrière elle et je restai avec ma lettre sur les bras. Qu'allait penser Vincent ?

*

La Lanterne, 11 mars 1890

Le kola. Ses remarquables propriétés pour l'armée

« ... Cette substance est aussi, de l'avis de M. Heckel, un excitant du système nerveux ; elle agit par l'intermédiaire de ce dernier sur la nutrition générale. Elle diminue la sensation de la faim, permet à l'homme de supporter la

fatigue, de faire des marches forcées, de produire des efforts prolongés sans essoufflement... M. Heckel est persuadé que, dans un avenir très rapproché, cette adoption s'imposera tout aussi bien aux armées du continent qu'aux troupes coloniales...»

*

La lecture de la Bible est la pire des choses qui soit pour vous remonter le moral, il faut être désespéré pour y trouver le moindre réconfort. Je m'ennuie à mourir. Après l'accrochage avec Louise, le régime de détention s'est durci. Mon frère applique les instructions à la lettre ; elle a dû le menacer de révéler à mon père qu'il désobéissait à ses ordres. Je n'arrive pas à en vouloir à Louise, elle a peur de perdre son travail et, à son âge, si elle était chassée, elle ne retrouverait jamais un emploi. Je reste étendue sur mon lit des heures entières à scruter le plafond, je somnole, je rêve les yeux grands ouverts, je dois réagir.

Alors je pense à Vincent, c'est un rayon de soleil qui entre dans ma prison et me réchauffe l'âme, ma peine s'envole, se disloque et, de le retrouver, de cheminer avec lui, même en imagination, de lui parler et qu'il me réponde me rend heureuse. J'ai l'impression de le connaître depuis toujours, qu'il a toujours été là, dans un coin de ma tête, comme une évidence ; nous n'avons pas besoin de nous expliquer pour nous comprendre,

même les silences entre nous sont tissés de liens invisibles. Et il y a sa peinture magique, unique, boulever-
sante, elle est indissociable de son être, comme l'envers
et l'endroit d'un gant, elle est dans sa peau, dans son
sourire, avant qu'il ne réussisse à la projeter sur la toile.

Il y a dix jours, nous étions au bord de l'Oise, c'est un
lieu qu'il affectionne particulièrement. À cette époque,
cet endroit ressemblait au paradis terrestre, le grand sac-
cage commençait à peine, nous n'avions pas conscience
que l'homme était en train de tout défigurer. Nous
sommes un peu préservés ici, mais quand on voit les
bords de Seine tels que les ont peints les impressionnistes et ce qu'ils sont devenus, nous ne pouvons qu'être
atterrés de la destruction systématique de ce qui était si
beau.

J'avais retrouvé Vincent à côté de la mairie, le temps
était radieux. Il était parti dès l'aube, il avait déjà peint
une toile et il était revenu en chercher une vierge à
l'auberge. Comme chaque jour, il portait son chevalet
pliant accroché à une épaule, une besace avec sa palette,
ses tubes et son matériel sur l'autre, et une toile sous le
bras. Tout de suite, sans même me souhaiter le bonjour,
il m'a dit qu'on allait à l'île de Vaux, il y avait là-bas *des
coins intéressants*. En cours de route, il a changé d'avis, il
s'est installé sur un promontoire à proximité de la
rivière. Il a planté son chevalet dans l'herbe, posé sa toile
dessus, sorti sa palette, et il est resté une heure immobile
à regarder le paysage, comme s'il essayait de découvrir

un mystère ou de s'imprégner de la beauté de ce qu'il voyait pour mieux la traduire ensuite. Il balançait la tête de droite à gauche comme s'il suivait une musique douce et, parfois, traçait de son doigt des signes invisibles sur la toile. Puis, sans prévenir, il a jeté ses affaires dans son sac, il a plié son chevalet et il est descendu vers l'Oise. Il avançait à grands pas sur le sentier, je devais presque courir pour ne pas être distancée. Je l'ai rejoint au petit port aménagé dans le coude de la rive, il m'a tendu le bras afin que je m'appuie sur lui pour monter dans une des barques accrochées au ponton. Il l'a détachée et a donné un élan vigoureux pour l'éloigner. Je me suis assise sur le banc à l'avant, face à Vincent qui a commencé à ramer. Il aurait pu traverser le fleuve pour rejoindre l'île, mais il s'est dirigé vers Pontoise. Il prenait plaisir à cet exercice, et ceux qui ont évoqué un artiste malade, usé ou fatigué ne l'ont pas vu ce jour-là quand il souquait avec vigueur et aisance.

J'ai laissé ma main traîner dans l'eau fraîche et je me suis amusée à arroser Vincent à deux reprises, avant qu'il ne réagisse et en fasse de même. Notre bateau s'est mis en travers du courant et nous avons été déportés. Nous avons entendu des rires, nous avons tourné la tête et avons vu, une trentaine de mètres en amont, une barque jaune avec un couple à bord. Vincent a entrepris de les rattraper. Il a gagné facilement une vingtaine de mètres. Le gaillard à bord du bateau a accéléré la cadence pour ne pas se faire rejoindre et Vincent, de son côté, a augmenté la portée de sa rame, qui entrait dans l'eau avec un claquement sec. Une course inattendue et spontanée a commencé. La femme a encouragé son compagnon, on l'entendait distinctement, il s'appelait Martin, elle criait des : *Vas-y mon gars, vas-y*, ses coups dans l'eau soulevaient des gerbes qui nous éclaboussaient car nous nous rapprochions. Pendant deux ou trois minutes, nous sommes restés bord à bord, puis l'homme a cédé, épuisé. Vincent a trouvé un sursaut de force pour accélérer. Je l'ai incité de la voix et en battant des mains et lentement, il a grignoté mètre après mètre, et il les a dépassés, sans montrer le moindre signe d'essoufflement. Martin a adressé un signe amical de la main à Vincent quand celui-ci les a distancés, reconnaissant sa défaite. Vincent lui a rendu son salut, il a levé les rames et a souri. Je me souviens de ce moment miraculeux, de l'air doux comme du coton, de notre barque qui filait et semblait voler au-dessus des reflets argentés de la rivière.

*

La Lanterne, 18 juillet 1890

« *La Chambre commence à s'apercevoir que les promesses électorales sont plus faciles à faire qu'à tenir... Rien n'était plus imprudent parce que la promesse ne pouvait être tenue sans faire un trou dans le budget... Quand on supprime une recette, il faut supprimer en même temps une dépense ou créer un nouvel impôt, et la Chambre a promis de ne point voter d'impôts nouveaux. »*

*

Louise surveille Paul de près, il n'entre jamais seul dans ma chambre. Il a essayé à deux reprises, mais elle a l'ouïe fine, elle arrive immédiatement, avec une rapidité de lionne aux aguets. Elle apparaît dans l'encadrement, toussote, elle le fixe, et il quitte la pièce sans dire un mot, ferme la porte, puis je l'entends qui s'assure, derrière lui, qu'il l'a bien fermée à clef. J'ai perdu le compte des jours, mon seul repère est mon visage. La crème au phénol produit son œuvre réparatrice, son odeur de pourri est suffocante, mais je m'y suis habituée, elle ne me dérange plus, c'est le prix à payer pour que mes traits reprennent une apparence humaine. Mon père revient le vendredi soir, il inspecte la chambre, s'assoit dans le fauteuil, renifle et grimace, me fait signe de m'asseoir mais je reste debout. Il me demande si je suis dans de meilleures dispositions.

– Cela t'amuse cette vie ? demande-t-il. Tu vas rester enfermée longtemps ?

– C'est vous qui me tenez prisonnière.

– As-tu réfléchi pour ton mariage ?

– Avec Georges ? Vous plaisantez ? Il n'y tient pas plus que moi. Il est, comme moi, contraint par son père.

Nous n'avons aucune attirance l'un pour l'autre. Il n'y a, entre nous, que de l'amitié.

— C'est parfait, vous ferez comme tout le monde. Si on devait attendre le grand amour pour passer devant monsieur le maire, il n'aurait pas beaucoup de mariages à célébrer. Si tu deviens raisonnable, je suis disposé à accepter tes excuses. Tu as tout à y gagner, Marguerite. On peut organiser un mariage rapidement. Tu quitteras cette maison et tu seras débarrassée de moi. Tu t'arrangeras avec Georges. D'après ce que j'ai compris, il n'est pas trop regardant.

— Jamais, vous m'entendez, jamais ! Je préfère finir vieille fille que me marier, c'est un destin enviable que de rester libre. Vous allez devoir me supporter encore deux longues années, et je vous pourrirai la vie, et, que cela vous plaise ou non, à ma majorité, vous serez obligé de me libérer.

Il se leva, haussa les épaules.

— Tu n'es qu'une sotte, tant pis pour toi.

Sur le pas de la porte, il appela Louise et la sermonna :

— Il faudrait aérer là-dedans, ça sent l'écurie.

Il pense que je vais me lasser, il me connaît mal. Il espère que je finirai par renoncer à l'espoir et à la lumière de ma vie. C'est lui qui est stupide, il ignore ce qu'est l'amour. A-t-il jamais aimé ma mère ? Mon père ne peut rien, avec ses manigances d'un autre âge, contre deux âmes pures destinées l'une à l'autre. Je sais au plus profond de moi que Vincent est un homme de parole et que j'occupe une place à part dans sa vie. Ou escompte-t-il que Vincent m'oubliera et m'abandonnera à mon sort ? C'est une possibilité, j'en ai conscience, personne ne commande le cœur de l'être aimé. J'ai suffisamment lu de livres pour savoir que, lassé d'attendre, désorienté par mon absence et mon silence, il rencontrera peut-être quelqu'un qui consolera sa peine, c'est ce que je redoute si ma détention s'éternise. Si, par malheur, je ne devais pas le revoir, je ne céderais pas au diktat, j'entrerais dans les ordres. Peu importe que je ne croie plus en Dieu ; aux Missions, ils acceptent toutes les bonnes volontés, pas les mijaurées, j'ai lu que les bonnes sœurs n'ont pas le temps de prier, occupées qu'elles sont à soigner les malades de la malaria, elles meurent jeunes et sont, bien entendu, reçues directement au Paradis.

Je relis ce que je viens d'écrire, et je suis effondrée par ma bêtise, ou plutôt, celle-ci est le résultat de mon abrutissement et de mon désœuvrement. Je n'ai rien à faire que de laisser mon esprit s'envoler où cela le distrait, au-delà des murs de cette chambre sinistre, et ce vagabondage m'éloigne de moi-même ; je n'ai ni l'intention ni l'envie de me transformer en bonne sœur. Non, la seule chose que je désire, du plus profond de mon être, c'est retrouver Vincent le plus vite possible, être sa femme et partir avec lui au bout du monde. Rien ne me fera changer d'avis.

Mon père a des principes, et il y tient, malgré les circonstances. Le dimanche a toujours été l'occasion d'un déjeuner de fête, notre petite famille assemblée autour d'une table de réception, le Limoges et l'argenterie de sortie, avec une ambiance plus gaie que d'ordinaire malgré le cérémonial. La condamnée a eu droit à une terrine de lièvre aux cèpes, à une cuisse de chapon avec pommes dauphine, et à des asperges sauce mousseline. Mon frère m'a apporté un plateau, il a renversé un peu de vin en le posant sur la table. Il m'a souhaité un bon appétit et recommandé de boire tout mon verre, car cela me redonnerait des couleurs. Je l'ai remercié de sa gentillesse et me suis rapprochée de lui. J'ai sorti la lettre de ma poche et la lui ai présentée.

– Je t'en prie, Paul, rends-moi ce service. Après le repas, dis que tu as besoin de te dégourdir les jambes et va à l'auberge Ravoux. Remets cette lettre à Vincent. S'il n'est pas là, attends un peu, il revient à cinq heures, six au plus tard. Il y aura peut-être une réponse.

– Je ne peux pas, Marguerite, papa le saura, sa colère sera terrible.

– Si tu ne lui dis pas, il ne pourra pas le découvrir par l'opération du Saint-Esprit. Il a confiance en toi. Et à tout bien réfléchir, une lettre, ce n'est pas méchant.

– Ne me demande pas cela. C'est impossible.

Mon frère est bien élevé. Dans son lycée, il a compris que baisser la tête, rester anonyme et dans le rang, permet de vivre tranquille. Être toujours poli, sourire, et ne dire jamais ce que l'on pense évite bien des désagréments. Il affiche une allure de séminariste, mais ce n'est qu'une réaction de défense et de survie dans un univers hostile, il vaut mieux que cela et, le moment venu, il révélera son talent de poète et son âme sensible. Je lui ai attrapé le bras et l'ai tiré vers moi.

– Si tu ne m'aides pas, je vais mourir, ai-je chuchoté à son oreille. Tu comprends ? Je vais mourir et tu auras ma mort sur la conscience. Je t'en supplie, fais-le par amour pour moi.

Sans lui laisser le temps de réagir, j'ai glissé l'enveloppe dans la poche de sa veste, et pressé son bras du plus fort que j'ai pu, il m'a dévisagée, paniqué, puis je l'ai poussé vers la porte, qu'il a fermée à clef derrière lui. J'ai attendu un instant mais tout était calme. Il faut parfois bousculer un peu ceux qu'on aime et leur forcer la main, sinon rien ne bougerait. Je me suis assise face à ma table. J'avais enfin de l'appétit, et j'ai bu une gorgée de ce nectar délicieux. Je m'apprêtais à commencer mon repas quand mon père est apparu, l'air furieux, en brandissant ma lettre.

– Comment oses-tu ? Tu es devenue folle !

Il a décacheté la lettre et s'est mis à la lire. J'ai essayé de l'empêcher de commettre ce sacrilège, il m'a repoussée du bras.

– Vous n'avez pas le droit de lire cette lettre ! Ce n'est pas à vous qu'elle est adressée. Il ne devait pas vous la remettre.

– Petite sotte ! J'ai tout de suite vu qu'il y avait quelque chose de bizarre dans l'attitude de ton frère. Et il n'a pas pu me résister longtemps. Comment peux-tu écrire de pareilles insanités ? Tu n'as donc aucune pudeur ? Tu n'as pas compris qu'il s'est moqué de toi ?

– Ce n'est pas vrai ! Vincent m'aime. Autant que je l'aime.

– Maintenant qu'il a obtenu ce qu'il voulait et qu'il t'a déshonorée, tu ne l'intéresses plus. Tu ne le reverras pas. Voilà ce que j'en fais de ta lettre !

Il l'a froissée, puis il l'a déchirée en morceaux, qu'il m'a jetés à la figure.

– Avec Vincent, on se retrouvera, vous ne pourrez pas l'empêcher Vos efforts dérisoires n'arriveront pas à nous séparer car nous sommes le cœur et le poumon l'un de l'autre. Je serai sa femme et je porterai ses enfants.

Mon père a levé la main comme s'il allait me frapper à nouveau mais je n'ai pas bougé, pas cherché à me protéger ou à esquiver le coup à venir. Au contraire, je l'ai affronté, de face, je l'ai défié, les yeux dans les yeux, le sourire aux lèvres. Il a baissé la main.

– Désormais, tu n'auras affaire qu'à Louise et à moi !

Il est sorti en fermant la porte à clef. Je me suis retrouvée seule comme jamais aucun être humain ne fut seul, ma tête s'est mise à tourner, j'ai dû me tenir à la chaise pour ne pas m'écrouler, je m'enfonçais dans un puits de mine, la lumière se rétrécissait au-dessus de moi, c'est l'impression qu'on doit ressentir quand on vous enterre. En plein centre de l'univers, entre Antarès et Aldébaran, il n'y a guère plus de bruit que dans ce monument de silence. Malheureusement, j'ai ouvert les paupières et j'étais dans cette chambre cadenassée, dans ce cimetière vivant.

Sans Vincent, sans l'évocation de ses tableaux qui me redonnait de l'espérance et de la lumière, je me serais jetée par la fenêtre, rien d'autre ne me retenait sur cette terre. Si je disparaissais, à part Vincent, qui me regretterait ? Qui aurait une pensée pour moi ? Je devais vivre pour lui. J'ai laissé mon repas, je n'avais plus d'appétit.

Le soir, mon père a constaté que je n'avais pas touché à mon plateau et il a ordonné à Louise de le laisser en place. Il a cru que je voulais me laisser mourir de faim, alors que je manifestais ma rupture avec cette famille odieuse, je n'avais plus rien à partager avec eux. Le lendemain matin, la faim m'a obligée à manger la cuisse froide. Si je reste ici, si j'accepte sa loi, c'en est fini de mes espoirs.

Je dois retrouver Vincent. Quoi qu'il arrive, je dois m'enfuir de cette prison. Mon père a une telle terreur du scandale et du qu'en-dira-t-on qu'il n'osera pas se plaindre aux gendarmes : le ridicule le tuerait. Ses menaces sont factices. Il cédera avant moi.

*

Lettre de Théo à Vincent, 5 juillet 1890

« … *nous ne pourrons donc pas aller chez Pissarro le 14 Juillet. J'ai donc pris ce jour pour aller chez Claude Monet avec Valadon qui certes m'ammerdera ce jour, mais je suis content d'aller voir les nouveaux travaux de Monet… J'ai beaucoup de chance dans les affaires… j'ai entre autres vendu deux Gauguins pour lesquels je lui ai envoyé le montant. Pissarro m'écrit qu'il n'a pas pu payer son loyer, je vais lui envoyer un petit acompte sur les affaires que nous ferons. Voyons, son exposition lui a bien donné quelque chose mais c'était toujours pour boucher des trous.* »

*

Quand la porte s'ouvre, Louise prend garde à la refermer derrière elle. Mais le plus souvent, c'est mon père qui m'apporte mon plateau et s'occupe de me conduire à la salle de bains ou qui me surveille pendant mes deux promenades quotidiennes. Nous n'échangeons pas un mot. Lorsqu'il m'adresse la parole, je fais celle qui n'entend pas et je ne réponds rien. Avant-hier, je l'ai prié de me fournir en livres, n'importe lesquels, ou même le journal, mais il me faut de quoi lire et me changer un peu les idées, ou je vais devenir folle.

– As-tu fini la Bible ?

– Cela ne m'intéresse pas beaucoup.

– Tu as tort. Cette lecture ne peut te faire que le plus grand bien.

C'est lui qui a tort. À cause de sa rigidité, je n'ai rien d'autre à faire que penser à Vincent. Toutes les heures du jour et toutes les heures de la nuit. Il ne me quitte pas l'esprit une seconde, il m'accompagne dans les gestes dérisoires du quotidien, réduit aux quelques mètres carrés de ma cellule. Je ferme les yeux, et ses peintures viennent m'éclabousser de leur lumière. Quand elles apparaissent devant mes paupières closes, je comprends enfin des réflexions qu'il avait faites et auxquelles je n'avais pas prêté attention sur le moment : sa recherche de la couleur arbitraire *qui fait la chose*, sa détestation de la perspective italienne *qui trompe l'œil* et qu'il voulait remplacer par un *espace totalement pictural*.

*

La Lanterne, 11 juillet 1890

« *Il paraît qu'en France, nous avons déjà trop de liberté, et pas assez de réglementation... Les femmes, en particulier, sont à ce qu'il paraît insuffisamment protégées contre l'excès de travail... Il faut que la femme se repose. Le travail fatigue ses membres délicats, le travail de nuit, surtout. Et comme la femme n'est pas un être raisonnable, comme elle est incapable de résister à la tentation de travail, comme elle n'est pas assez sage pour*

245

se reposer quand le travail l'épuise, la loi se charge de la contraindre au chômage et elle lui impose, sous peine d'amende et de prison, le repos forcé. »

*

Quand j'y repense, je suis effarée des affabulations qui ont été écrites sur Vincent, les fadaises sur son état mental ou sa santé. La foule se délecte des clichés colportés par les ignorants qui font bloc comme les moutons d'un troupeau et se repaissent avec délice de cette légende d'artiste maudit qui n'est qu'une imposture. Ne leur en déplaise, en ce mois de juillet, Vincent se portait mieux que jamais, il n'était ni dépressif, ni pessimiste, ni angoissé. Au contraire, il débordait de projets. Il voulait rendre visite à Pissarro, voir son atelier qui recelait des trésors et travailler avec lui dans la campagne, mais celui-ci était malade et reportait sans cesse leurs retrouvailles à des jours meilleurs. Vincent avait l'intention de faire une exposition commune avec son ami Chéret, dans un café des Boulevards, et Théo était décidé à s'en occuper dès qu'il aurait réglé ses problèmes avec son employeur. Vincent rêvait de rejoindre Gauguin en Bretagne. Bien que leur première cohabitation n'ait pas été une réussite, il était disposé à récidiver, faisait des calculs d'apothicaire pour me démontrer qu'il dépenserait moins là-bas qu'ici. Gauguin était l'obsession de Vincent, il en parlait sans cesse, avec admiration et respect, et quand celui-ci évoqua son envie de créer une communauté de peintres à Madagascar, Vincent envisagea immédiatement d'y participer. Même si cette idée lui paraissait compliquée à réaliser, il était prêt à le suivre à Java ou à la Martinique, au Brésil ou en Australie, et cette idée l'excitait comme un adolescent.

Je n'ai jamais rencontré Paul Gauguin. À l'époque, c'était un peintre que personne ne connaissait. Pourtant, il m'était devenu familier. Vincent avait dans sa chambre, roulé sous son lit, un portrait de son ami qu'il avait réalisé à Saint-Rémy, et j'avais compris à la manière élogieuse dont il m'avait entretenu de lui quelle importance il avait pris dans sa vie. Gauguin était une idée fixe pour Vincent, il me répétait des détails comme s'il me les révélait pour la première fois et, quand je lui faisais observer qu'il m'en avait déjà informé, il paraissait étonné, il revenait sans cesse sur des épisodes de leur vie commune dans le Midi, qui avait été passionnante, mais également difficile et problématique. Malgré plusieurs demandes, Vincent n'a pas voulu entrer dans les détails de leur conflit et il affirmait que cela n'avait plus d'importance.

– À cette époque, je buvais trop.

La nuit où Vincent m'a montré le portrait de Gauguin a été à bien des égards mémorable. Vincent conservait sous son lit quatre rouleaux de toiles peintes et il refusait toujours de me les montrer, il les destinait à son frère et il attendait de le voir pour les lui remettre. Dès que la peinture était sèche, pour gagner de la place, il déclouait la toile et l'enroulait sans trop de précautions sur la précédente, il faisait des rouleaux de vingt ou trente centimètres d'épaisseur qu'il glissait sous son lit. Il gardait sur châssis celles qu'il aimait particulièrement, ou qu'il ne considérait pas comme achevées, attendant le moment propice pour les parfaire. Vincent peignait sans arrêt, quelle que soit la lumière, de jour comme de nuit. Durant les deux mois de son séjour à Auvers, il a peint plus de soixante-dix toiles. Dans sa petite chambre, il y en avait partout, empilées les unes sur les autres, il restait peu de place pour circuler. C'est en cherchant le portrait de Gauguin que, par hasard, il m'a fait découvrir les tournesols.

Sous son lit, il s'était réservé trois de ses toiles, ses préférées, peintes à Arles, avec ces bouquets touffus dans des pots vernissés, son frère en possédait quatre autres. Il avait vu à quel point j'avais été saisie et bouleversée par ces compositions, il avait posé les toiles sur son lit, les aplatissant de petits coups de la main et les calant avec des livres pour ne pas qu'elles s'enroulent. À la lumière de la bougie qu'il tenait en l'air pour les éclairer, les fleurs semblaient vivantes. Nous étions restés à les admirer, il m'avait dit que Gauguin les aimait beaucoup et les trouvait plus belles que celles de Monet, mais cela il ne le croyait pas. Je l'entendais à peine, fascinée par ces tournesols qui dansaient à la chandelle, je ne me souvenais pas avoir jamais vu de fleurs peintes de façon si humaine.

Vincent et Gauguin s'écrivaient de longues lettres où ils se racontaient leur vie, leurs travaux et leurs projets, et on voyait à la manière dont ils se confiaient l'un à l'autre qu'il existait une forte affection entre eux. Je doute que cela puisse s'appeler amitié, c'était un tissu de relations bien plus complexes, faites d'admiration et d'estime réciproques, d'une passion sans égale pour la couleur et l'expression, mais ils étaient trop entiers, incapables l'un comme l'autre de faire des concessions, pour avoir véritablement un ami ; pour tout dire, leur histoire était compliquée, mais ils ne pouvaient ni ne voulaient s'en défaire et ils la portaient parfois comme une joie profonde, parfois comme un fardeau, on les sentait sur leurs gardes, prêts à sortir leurs griffes pour un rien, ils se vouvoyaient, maintenaient entre eux une frontière ambiguë, et s'aimaient d'autant plus qu'ils se voyaient peu. J'avais une telle foi en Vincent, que j'ai pris pour argent comptant ses affirmations sur Gauguin, et j'ai su avant la terre entière que c'était le plus grand peintre de notre temps, un précurseur, un novateur, qui allait fonder un de ces courants de peinture majeurs qui ont fait basculer l'histoire de l'art. Je revois Vincent qui s'immobilise, tire sur sa pipe et me déclare avec l'air le plus grave qui soit qu'après Gauguin, plus rien ne sera pareil, qu'il allait bouleverser le monde par la seule force de sa peinture et que c'était le plus grand des peintres depuis Rembrandt.

– Pour moi, il ne sera jamais un plus grand peintre que vous, ai-je osé.

– Quand tu le connaîtras, et quand tu auras vu ses peintures, tu comprendras ce que je dis.

*

Lettre de Paul Gauguin à Vincent, 13 juin 1890

« Vous souvenez-vous de nos conversations d'autrefois à Arles où il était question de fonder l'atelier des Tropiques ? Je suis sur le point d'exécuter ce plan, si j'obtiens une petite somme nécessaire à fonder l'établissement. J'irai alors à Madagascar avec une peuplade douce sans argent qui vit du sol. De divers côtés j'ai des renseignements très précis. D'une petite hutte en terre et bois j'en ferai une maison confortable avec mes dix doigts ; j'y planterai moi-même toutes choses pour nourriture, poules, vaches, etc... et en peu de temps j'aurai là la vie matérielle assurée. Ceux qui plus tard voudront y venir trouveront là tous les matériaux pour travailler à très peu de frais. Et l'atelier des Tropiques formera peut-être le saint Jean-Baptiste de la peinture de l'avenir retrempé là par une vie plus naturelle, plus primitive et surtout moins pourrie.

Je donnerais bien en ce moment toutes mes toiles à 100 f. pièce pour arriver à réaliser mon rêve. »

*

Quand nous étions ensemble, Vincent refusait que je débourse le moindre sou, il trouvait inconvenant qu'une femme paye pour un homme, même de façon fortuite. L'argent ne l'intéressait pas, il était à mille lieues de la préoccupation majeure des gens de son époque, il ne rêvait pas d'en gagner et d'être riche, et tant qu'il avait assez pour payer sa pension, ses couleurs et son tabac, il s'estimait satisfait de son sort et heureux de pouvoir peindre à longueur de journée. Ses moyens étaient limités. Chaque mois, Théo lui donnait cent cinquante francs. Ce n'était pas une grosse somme, Louise gagnait plus. Après sa mort, cette question financière a souvent été mise en avant, on a voulu y voir une des raisons de sa disparition, Vincent aurait été paniqué à l'idée que son frère, qui avait des difficultés avec ses employeurs, lui supprime sa pension. Cette explication est non seulement inexacte mais aussi sans fondement. Théo n'était pas en peine, il avait une bonne situation, gagnait bien sa vie et, s'il était en conflit avec Boussod et Valadon, c'est parce qu'il voulait gagner plus encore ; il n'avait pas le moindre souci quant à son avenir personnel de marchand de tableaux. Le pays vivait une période de prospérité économique comme on n'en avait pas connu depuis des décennies. L'argent coulait à flots. Jamais on n'avait négocié autant de toiles, les amateurs étaient innombrables, les millionnaires américains et russes débarquaient et achetaient à tour de bras. Et si les impressionnistes avaient du mal à en vivre, c'est qu'ils étaient les derniers arrivés et bousculaient les habitudes artistiques du public, qu'ils incarnaient la modernité et une nouvelle façon de regarder le monde. Finalement, il n'a fallu attendre que quelques années pour qu'ils dominent le marché. Théo était sûr de son coup quand il s'apprêtait à se mettre à son compte. Il connaissait tous les impressionnistes, ils appréciaient son sérieux, son soutien sans faille, il était certain d'en représenter plusieurs s'il décidait de créer son affaire. Il avait la conviction d'avancer dans le sens de l'histoire et que, tôt ou tard, il récolterait les fruits de son engagement auprès de cette nouvelle génération d'artistes. Quand il achetait les toiles de son frère, ce n'était pas un cadeau qu'il lui faisait, mais un investissement qui allait se révéler être le plus fabuleux placement de l'histoire de l'art. Théo avait une parfaite conscience du génie de Vincent ; il savait, comme un et un font deux, qu'un jour proche son talent serait reconnu et que ses toiles se vendraient une fortune. Ce n'était qu'une question de temps.

En attendant, Vincent se débrouillait tant bien que mal avec sa rente mensuelle, il ne pouvait se permettre de grandes excentricités. Quand nous allions nous rafraîchir à la buvette du père Martial, le pichet était d'un coût si faible qu'il pouvait l'offrir sans problème, mais quand, quelques jours avant ma séquestration, nous étions allés déjeuner à la guinguette de l'île de Vaux, après qu'il eut si brillamment distancé l'autre rameur, j'avais senti une réserve de sa part. Il avait d'abord affirmé qu'il n'avait pas faim, puis qu'il n'était pas venu dans l'île pour se remplir la panse mais pour travailler. J'avais bêtement insisté, soulignant à quel point ce serait agréable de manger ensemble dans ce cadre magnifique, et il s'était laissé faire. Le choix était succinct, la serveuse nous avait proposé soit du rôti de porc, soit du poulet, les deux accompagnés de pommes de terre. J'avais hésité entre les deux et compris, un peu tardivement, le dilemme de Vincent quand celui-ci avait demandé le prix de chaque plat. J'avais été plus surprise que la serveuse, qui avait l'habitude, car elle lui avait indiqué que le porc était plus avantageux. Vincent avait fouillé dans la poche de sa veste, avait fait le compte de sa monnaie et avait paru désorienté. Il n'avait pas assez sur lui pour régler l'addition, il s'était dressé et avait voulu partir. Je l'avais retenu avec la plus grande difficulté, lui proposant de l'inviter pour ce modeste repas. Que n'avais-je pas dit ? D'un coup, il était devenu véhément. Il était inenvisageable que je paye quoi que ce soit, cela ne se faisait pas, on n'avait jamais vu ça, il n'en était pas question, c'était à l'homme de payer, pas à la femme, qu'est-ce qu'on dirait s'il se laissait offrir un repas ? Je passe sur les dix autres arguments qu'il avait alignés pour me prouver l'incongruité de mon offre.

– Vous avez raison, Vincent. Mais cela sent terrible-ment bon, j'ai faim, et la ferme intention de déjeuner ici. Et comme ce serait bête de me laisser manger seule, et cruel pour vous de jeûner, chacun paiera son écot.

– Je veux t'inviter ! Pour qui me prendrais-tu, si je ne pouvais t'offrir un repas ?

– Je suis moins têtue que vous, moi j'accepte votre invi-tation de bon cœur. Je vous propose d'avancer l'argent de notre repas, et vous me rembourserez plus tard.

Cette solution ne lui plaisait pas mais il n'y avait pas d'autre possibilité, il avait donc accepté, promettant de me rembourser dès le lendemain. Je tiens à préciser que ce déjeuner a été délicieux, Vincent s'est déridé rapide-ment, a trouvé le rôti fondant, le vin savoureux, et ce cadre enchanteur lui a évoqué un tableau de Renoir.

*

Lettre de Vincent à Paul Gauguin, 17 juin 1890

« Merci de m'avoir de nouveau écrit, mon cher ami, et soyez assuré que depuis mon retour j'ai pensé à vous tous les jours.

Très content d'apprendre par votre lettre, que vous retournez en Bretagne avec de Haan. Il est fort probable que – si vous me le permettez – je viendrai pour un mois vous y rejoindre, pour y faire une marine ou deux, mais surtout pour vous revoir et faire la connaissance de de Haan. De ces jours-là nous chercherons à faire quelque chose de voulu et de grave, comme cela serait probablement devenu si nous eussions pu continuer là-bas. »

*

Toute la journée, Vincent avait traîné ce souci comme un fardeau, revenant à la charge à plusieurs reprises. Il n'avait pas d'argent chez lui, mais devait recevoir cinquante francs de son frere d'un jour à l'autre, il me rembourserait alors immédiatement. J'avais eu beau le rassurer, lui dire que je n'étais pas pressée, il m'avait juré qu'il avait les dettes en horreur, qu'il avait été éduqué de façon à ne pas dépenser plus qu'il n'avait en poche et qu'il en était fier. Le lendemain, en fin de matinée, il s'était présenté à la maison, ce qu'il ne faisait jamais depuis l'incident du Guillaumin avec mon père, et quand Louise m'avait prévenue de son arrivée, elle avait précisé qu'il avait *un drôle d'air réjoui.* Le facteur avait porté une lettre de Théo avec l'argent promis et il venait payer sa dette, il se sentait soulagé d'un poids, comme si j'avais pu douter de sa sincérité, et je l'avais remercié de sa diligence. Je portais mon tablier de peintre, avec des traces de doigts dessus, car j'étais en train de peindre une nature morte. Soudain, Vincent avait découvert ma blouse couverte de taches multicolores et avait lancé qu'il aimerait voir ce que je peignais. C'était la première fois qu'il exprimait cette envie. Jusqu'alors, il avait manifesté une distance évidente avec mon travail, presque un dédain, et j'avais été agréablement surprise de sa demande, je me suis dit : *Tiens, je l'intéresse ? Les choses changent. C'est bon signe.* Je l'avais fait entrer dans l'atelier du rez-de-chaussée, que je partageais avec mon père, et que Vincent connaissait pour y avoir gravé quelques planches. Il était resté devant mon chevalet à examiner ma toile, il s'était gratté le menton, avait ouvert la bouche, mais n'avait pas prononcé un mot, comme s'il retenait ses paroles.

– Qu'en pensez-vous, Vincent ? Vous n'aimez pas ?

– C'est impossible de parler d'une peinture qui n'est pas achevée. Il y a encore du travail.

– Je vais vous montrer une chose que vous n'avez jamais vue.

Je m'étais dirigée vers l'armoire du fond et l'avais ouverte. Elle était remplie de toiles empilées les unes sur les autres. Avec précaution, j'avais sorti un tableau de petit format et le lui avais tendu. Il l'avait pris, l'avait orienté vers la lumière de la fenêtre.

– Oh, un Cézanne. Je ne le connaissais pas.

– Vous le trouvez comment ?

– Il est bien construit, comme toujours. Il me rappelle une autre peinture de lui que j'ai vue... je ne sais plus où. Les couleurs sont un peu fades, cependant. Et les rochers un peu soulignés. Une étude probablement.

J'avais hésité, puis avais attrapé une toile un peu plus grande et la lui avais donnée. Le visage de Vincent s'était assombri, à la fois désorienté et troublé.

– Qu'est-ce que c'est ? Je ne me souviens pas de l'avoir peinte.

Il s'était placé contre la fenêtre, avait scruté la toile : un pot rond, jaune et beige, avec deux tournesols, un dressé, et un à la tige cassée, dont la fleur reposait sur la table jaune.

– Je n'ai jamais peint deux tournesols sur un fond orange.

Vincent semblait perdu, comme au milieu d'une tempête.

– Qu'y a-t-il, Vincent ?

– Je n'ai pas peint cette toile.

– Elle est bien de vous, non ?

Il avait avancé la toile près de son visage, examinant les détails, longuement.

– Oui, absolument, c'est ma manière. Ce sont mes tournesols, et le vase à deux tons de Saint-Rémy.

– Vous ne pouvez pas vous souvenir de tout. C'était il y a longtemps. Vous peignez tant de toiles, cela peut arriver d'en oublier une.

– C'est un format que je n'utilise pas. Je ne fais pas d'études de cette façon.

Il avait approché la toile de son visage, s'était mis à la renifler, avait secoué la tête, puis il avait gratté la peinture, avait enlevé un morceau jaune qu'il avait écrasé dans sa paume avec son pouce et avait reniflé à nouveau.

– Je n'utilise plus de peinture à l'essence depuis des années. À une époque, je m'en suis servi quand je travaillais avec Lautrec, mais maintenant je n'utilise plus que de la cire de paraffine que je dilue avec de la térébenthine.

Il m'avait regardée d'un peu haut, de son profil d'aigle, pas aimable.

– Oui, c'est moi qui l'ai fait, Vincent. J'ai tellement aimé ce tableau dans votre chambre.

– Tu aurais dû me prévenir, m'en parler avant.

– Je vous l'ai dit, je n'ai pas d'imagination, je n'arrive pas à créer par moi-même, je ne suis capable que de reproduire les peintres que j'admire. C'est pour cela que je voulais que vous me donniez des conseils, que vous m'aidiez, mais vous n'avez pas voulu.

– Si c'est pour me copier aussi bêtement, certainement pas. Qui es-tu vraiment ? Tu t'es demandé une seconde pourquoi tu voulais peindre et pourquoi tu n'y arrivais pas ? En tout cas, tu n'es pas une artiste. C'est horrible ce que tu fais !

– Ne me dites pas cela, je vous en supplie. Pour moi, c'était une marque de respect.

– Tu es vulgaire ! C'est tout ce que je déteste ! Tu n'es qu'une médiocre imitatrice, tu n'existes pas, tu n'as aucun caractère, aucune âme, tu n'es même pas capable de faire une peinture laide, tu n'arrives qu'à singer les autres !

Vincent avait jeté la toile par terre à travers la pièce et, avant que j'aie pu réagir, il avait quitté l'atelier en claquant la porte, me laissant anéantie.

*

Lettre de Paul Gauguin à Vincent, 28 juin 1890

« *Nous avons été, de Haan et moi, passer 5 jours à Pont-Aven, mon ancienne résidence qui est à 6 lieues du Pouldu... Si mon voyage projeté pour Madagascar vous paraît déraisonnable. J'en rêve tous les jours au point que je ne travaille presque pas en ce moment, voulant me reposer un peu, prendre des forces nouvelles pour là-bas... Votre idée de venir en Bretagne au Pouldu me paraît excellente si elle était réalisable.* »

*

J'avais hésité à le rejoindre sur-le-champ, j'avais encore un peu d'amour-propre, mais j'avais conscience qu'il ne fallait pas traîner. Le soir, j'étais allée lui demander pardon, je ne supportais pas l'idée d'être fâchée avec Vincent et qu'il m'en veuille, surtout pour avoir peint un tableau de lui. Moi, je n'avais pas pensé à mal, c'était ma façon de lui montrer mon amour et mon admiration ; il commencerait par me dire de le laisser en paix, mais je savais comment me réconcilier avec lui. Tout se passa comme je l'avais imaginé. Vincent n'était pas rancunier.

Au petit matin, il me fit un cadeau extraordinaire. Il avait fouillé dans sa besace, et en avait sorti une poignée

de brosses. Il les avait regardées une à une avec attention, à la lumière de la chandelle, et en avait choisi une
qu'il me donna car c'était une bonne brosse, facile, qu'il
aimait beaucoup et utilisait sans cesse, et avec laquelle je
ferais du bon travail. Il m'offrit aussi un tube de jaune
de chrome du père Tanguy, parce que le mien ne valait
rien de bon. Ce sont les plus beaux cadeaux qu'on m'ait
faits. Le tube est vide depuis longtemps. Il est racorni,
desséché, rouillé, l'étiquette s'en est allée, mais je l'ai
conservé dans le double fond de ma boîte à peinture,
et je suis la seule à savoir d'où il vient. J'ai gardé aussi
ce pinceau. Vincent avait raison, c'était une brosse amicale, qui ne m'a jamais abandonnée, je l'ai utilisée pendant soixante ans, presque chaque jour, et elle n'a pas
perdu un seul de ses poils, ni sa docilité envers moi.

Quand je m'étais rhabillée, le jour commençait à
poindre, Vincent m'avait pris la main, et je m'étais assise
sur le bord du lit. Nous étions restés un instant sans rien
nous dire. Il m'avait souri et caressé la joue.

– Il est tard, Vincent, je dois rentrer.

Il avait hoché la tête, je m'étais levée, il m'avait retenue par le bras.

– Il est intéressant ton tableau, moi, je n'aurais pas
peint un tournesol sur un fond orange, mais c'est réussi.
Tu es sur le chemin, mais sois plus souple, tu dois trouver la bonne distance entre ta main, la brosse et la toile,
et travaille plus la matière, ça doit bouger plus. Mais fais

attention au joli, ce n'est pas la beauté que tu dois chercher.

*

Lettre de Vincent à Théo, 2 juillet 1890

« *Et si mon mal revenait tu m'excuserais, j'aime
encore beaucoup l'art et la vie mais quant à jamais avoir
une femme à moi je n'y crois pas très fort.* »

*

Quelle sera la durée de ma séquestration ? Quel crime
ai-je commis pour être punie ainsi ? J'ai faim, mais avec
cette boule sur l'estomac et ce sable dans la gorge, je ne
peux rien avaler, je vomis tout. Les jours sont innombrables, j'en perds la trace, je ne me souviens plus quand
j'ai vu Vincent pour la dernière fois, si c'était il y a deux
jours ou deux mois. Pourquoi ne me rend-il pas visite ?
Ou peut-être est-il venu hier matin. Quand je force les
profondeurs de ma mémoire, je le revois assis dans cette
chambre, sur ce fauteuil, en face de moi, en train de rire
et de fumer, il a même peint dans cette chambre, sur
mon chevalet, je lui ai prêté ma palette, j'ai sa toile avec
les tournesols dans mon armoire.
Je ne quitte plus mon lit, j'ai froid, j'ai la bouche sèche
même quand je bois, je dois être malade, je ne sors plus

dans le jardin, je n'en ai plus envie, j'attends qu'il revienne, j'espère qu'il pense à moi. À qui d'autre pourrait-il penser ? Avant-hier, ou le jour d'avant, il m'a dit qu'il voulait faire mon portrait, en grand, comme Boldini mais à sa manière à lui, plus nerveuse, et plus grave, ce serait son chef-d'œuvre, parce qu'il y mettrait tout l'amour qu'il me porte, il ne voulait plus peindre que moi, je serais son seul et unique modèle, il me peindrait nue, dans le jardin, sur notre lit ou en train de me laver, il n'avait jamais fait de nus de sa vie, parce qu'il n'avait jamais suffisamment aimé une femme pour la peindre nue. Je lui ai dit que ce serait un bonheur pour moi, car j'étais à lui, le monde entier saurait ainsi qui nous sommes l'un pour l'autre. Nous allions nous marier. Et nous aurions des enfants. Trois au moins. Dès que j'irais mieux. Et on irait en Amérique tous les deux, ou en Hollande. Où il voudrait. Ou bien on s'achèterait une maison dans le Midi, parce que la lumière là-bas est sans pareille. Il hésitait un peu, se demandait s'il en aurait les moyens mais je le rassurais, sa peinture allait enfin être reconnue, il allait devenir le peintre le plus célèbre qui soit, on aurait une demeure avec un parc et des arbres immenses comme Guillaumin en a peint, où il pourrait inviter ses amis : Pissarro, Gauguin, et les autres aussi, et peindre avec eux, puisque, finalement, c'était la seule chose qu'ils aimaient. Nous vivrions dans un univers de peinture. Et je peindrais avec eux. Et nous serions heureux. Je voyais des milliers de toiles défiler devant mes yeux, des millions de couleurs, que nul être au monde n'avait vues, dans un tourbillon qui m'étourdissait et m'épuisait.

Je frissonne. Il n'y a plus de couleurs. Le silence est atroce, mais j'entends dans le lointain de la musique, un piano, un air charmant que je ne connais pas, pourtant Louise me jure que personne ne touche au piano, mais moi je l'entends, je l'accompagne, je joue du piano sur ma table, je fais des variations des heures entières.

Vincent, mon amour,

Voici plusieurs jours que je ne vous ai vu. Je suis toujours un peu fatiguée, et je ne peux pas quitter ma chambre. Apportez-moi vos derniers dessins, c'est la seule chose qui me réconforte. J'ai une grande nouvelle à vous dire. J'attendais de vous voir pour vous en faire part, mais comme vous tardez, je vous la donne, je sais qu'elle vous réjouira et apaisera bien des problèmes. Après s'y être tant opposé, mon père vient de m'annoncer qu'il consent à ce que nous nous mariions. Peut-être pas de gaieté de cœur, vous le connaissez, mais qu'importe s'il finit par s'y résoudre et nous accorder sa bénédiction. Il fallait tenir bon, savoir quel destin nous voulions vraiment. Nous allons être heureux ensemble, comme jamais nous ne pourrions l'imaginer. Je ne peux pas fixer de date pour la cérémonie, je dois avant me rétablir, retrouver un peu d'appétit et une bonne figure, mais il est certain que cette bonne nouvelle va y contribuer grandement. Venez vite, je vous en prie, me dire ce que vous en pensez et me prendre dans vos bras qui me manquent tant.

Marguerite, votre femme

*

Lettre de Vincent à Théo, juillet 1890

« *Je crois qu'il ne faut aucunement compter sur le docteur Gachet. D'abord, il est plus malade que moi à ce qu'il m'a paru, ou mettons juste autant, voilà. Or, lorsqu'un aveugle mènera un autre aveugle, ne tomberont-ils pas tous deux dans le fossé ?* »

*

Mon Vincent,

Vous écrire est ce que j'aime le plus au monde. Je vous retrouve enfin, je vous parle au creux de l'oreille, mais votre compagnie n'est qu'un rêve. Je vous écris tous les jours et vous ne répondez jamais. Pourtant, mon frère me dit qu'il vous remet les lettres en main propre. Je sais que la peinture a le monopole de votre esprit, qu'elle vous accapare entièrement et que le reste n'est que de peu d'importance, mais par pitié prenez un moment pour m'envoyer un mot, ou passez me voir, la maison vous est ouverte maintenant, et votre présence me ferait tant de bien.

J'ai réfléchi, ne tenez pas compte de mon précédent courrier. Le mariage n'est pas une obligation. Ce n'est pas une condition à notre vie ensemble. Si vous préférez, nous pouvons vivre sans être mariés. Je n'ai pas posé la question à mon père, mais si vous y tenez, je le ferai. Il ne sera pas d'accord, c'est un homme à l'ancienne, avec des principes d'une époque révolue, mais il ne faut pas le condamner, il est prisonnier de sa morale bourgeoise, je lui expliquerai que dans le milieu des arts, et surtout des peintres, cela est fréquent, et que l'on se fiche des conventions et du qu'en-dira-t-on. Il ne nous imposera pas ses vues, nous ferons comme vous voudrez. Et s'il me déshérite, tant pis, je passerai outre, je ne suis pas sa chose. J'ai toujours les bijoux de ma mère, qui nous aideront bier dans notre nouvelle vie, nous pourrons partir où bon vous semble.

Je vous attends, mon amour.

Marguerite qui vous adore

Aujourd'hui, je me suis sentie étrangement forte, je me suis levée sans l'aide de Louise. Elle était contente que j'y arrive. J'ai fait toute seule un brin de toilette, j'ai une tête blanchâtre, des cernes, les joues creuses, les cheveux filasse, je ressemble à un épouvantail. Je me suis assise dans le fauteuil, près de la fenêtre ouverte. J'ai mangé un peu de riz à la rhubarbe et du pain de Gênes avec du citron, comme dans le temps. J'ai demandé à Louise de m'en servir à nouveau. Je dois reprendre des forces, me retrouver comme avant.

J'ai appelé mon frère, je lui ai demandé s'il donnait bien mes lettres à Vincent.

– Tu ne me crois pas ? répliqua-t-il d'un air surpris.

– Tu lui as dit que j'attendais une réponse ?

– Tu sais, ce n'est pas facile.

– Et qu'a-t-il répondu ?... Paul, tu me fais mourir à te tirer les vers du nez.

– Heu... il n'a rien dit.

J'ai demandé à Louise de me laver les cheveux, parce que je n'aurais pas eu la force de le faire. Elle est d'une incroyable gentillesse. Sans elle, je ne sais pas ce que je deviendrais. Elle me dit que je dois réagir, cesser de me morfondre, mettre ma robe blanche et aller cueillir des fleurs. Elle me secoue, elle a raison. Je me suis installée sur la banquette en osier, dans le jardin, il fait si doux. J'ai emporté *Le Horla*, que j'aime tant, mais le livre me tombe des mains, je n'arrive pas à fixer mon attention sur les dernières nouvelles. Je pense à Vincent. Il revient comme un incendie dans la nuit. Il ne me laisse pas une seconde de répit. J'ai pris un carnet de croquis, je dessine le bosquet d'arbres, j'ai le sentiment qu'il me guide la main, mais trois coups de crayon m'épuisent.

Vincent, où êtes-vous ? Pourquoi n'êtes-vous pas près de moi ? J'ai tant besoin de vous. Je ferme les yeux, personne ne me répond. Cela fait si longtemps que je n'ai pas entendu le son de votre voix. Je dois faire un effort pour me souvenir de notre dernière nuit ensemble. Une si belle nuit pourtant. Et un effort encore plus grand pour retrouver notre dernière promenade dans Auvers. C'était la semaine d'avant ou peut-être la précédente. Comment savoir maintenant ?

*

La Lanterne, 16 juillet 1890, courrier des lecteurs

Lettre 150. « Pourquoi n'imposerait-on pas les chats ? Ils sont plus nuisibles qu'utiles... »
Lettre 152. « Pour indemniser nos sénateurs et nos députés, pourquoi ne les paierait-on pas à l'aide de jetons de présence ?... »
Lettre 153. « Une jeune fille a-t-elle le droit de saluer un jeune homme dans la rue, ce jeune homme étant le fils d'une famille amie de celle de la jeune fille, et a-t-elle le droit d'accepter de lui une poignée de main ? »

*

J'étais allée au cimetière me recueillir sur la tombe de ma mère. J'y allais aussi régulièrement que possible, une ou deux fois par mois. À cette période de l'année, il était perdu au milieu des champs de luzerne fleurie, on se serait presque cru au paradis ; sinon, avec sa bordure de sapins et ses buis taillés, il paraissait austère, mais c'était cette sévérité que j'appréciais. J'y allais le matin, à la première heure, sûre d'y être seule. Je nettoyais la tombe, j'essuyais la croix avec un chiffon, je déposais quelques fleurs dans le vase, ramassées pour elle dans notre jardin ou dans un champ, et je restais face à cette masse de granit, à scruter les lettres de son nom gravées dans la pierre, et les dates, si lointaines, je me demandais quel âge elle aurait maintenant, j'essayais de l'imaginer, je n'avais aucun souvenir de son visage. Mon père n'en parlait pas, il s'énervait quand je posais des questions à son sujet, mais je revenais d'autant plus à la charge que je voyais qu'il ne le supportait pas. Louise m'avait dit que je lui ressemblais de plus en plus, qu'elle avait l'impression de la retrouver en moi, les mêmes gestes, la même voix, cela ne m'étonnait pas. Je doutais qu'elle ait pu être heureuse avec lui. Qui pourrait aimer un homme comme lui, qui se déteste lui-même ?

J'aimais parler à ma mère. Tout le monde parle dans les cimetières, c'est un endroit de conversation, c'est tellement plus pratique de parler avec les morts, quand on n'arrive pas à parler avec les vivants. Je ne me souviens plus de ce que je disais, cela n'a pas grande importance. J'avais entendu du bruit derrière moi, et je m'étais retournée. Vincent était là, l'air grave. Avec sa besace, son chevalet sur l'épaule, et une toile sous le bras. Il m'avait aperçue par-dessus le muret, en passant par là. Il avait fixé la pierre tombale. Son regard avait fait le tour du cimetière, puis il avait continué, pivotant lentement sur lui-même, il avait respiré profondément, il semblait détendu. Nous ne nous étions rien dit. Il m'avait pris la main et l'avait serrée.

*

Lettre de Vincent à Théo, avril 1888

« *Actuellement, je suis pris par les arbres fruitiers en fleurs. Je ne suis aucun système de touche, je tape sur la toile à coups réguliers que je laisse tels quels.* »

*

Le matin, Louise a pénétré dans ma chambre et a tiré les rideaux, la lumière du jour m'a éblouie, elle m'a demandé de me préparer, je me suis levée, j'ai mis la même robe blanche que la veille, j'ai hésité à descendre prendre mon petit déjeuner mais je n'avais envie ni de les voir ni de les entendre. Je me suis recouchée et j'ai traîné au lit, rêvassant à Vincent. J'essayais de compter le nombre de toiles de lui que j'avais vues depuis son arrivée à Auvers, je fermais les paupières, je les convoquais, elles apparaissaient comme par miracle, avec leurs couleurs de feu, leurs tourbillons et leurs extravagances évidentes, j'en ai dénombré trente-cinq. Je finissais par les confondre, par ne plus savoir si je les avais déjà répertoriées ou si j'en imaginais qui n'existaient pas, certaines insistaient plus que d'autres, s'imposaient et ne voulaient pas se laisser chasser, j'avais une préférence pour les peintures de l'Oise, pour l'église bleue d'Auvers, et pour les tournesols, bien sûr.

J'entendais de l'agitation dans la maison, ils montaient et descendaient les escaliers, s'interpellaient, et ce brouhaha me gênait, je n'arrivais pas à me concentrer, j'étais obligée d'ouvrir les yeux, les couleurs disparaissaient, les bateaux coulaient dans la rivière, le chaume des toits et les meules s'envolaient.

Mon père est entré sans frapper et m'a fait sursauter. Il avait mis son costume du dimanche en flanelle noire et sentait le parfum de Cologne à trois mètres. Il m'a dévisagée comme s'il ne me connaissait pas.

– Que fais-tu ainsi ? Tu n'es pas prête ?

– Je pense à des choses que vous ne verrez jamais.

– Je ne comprends rien à ces balivernes, mais on est dimanche et nous sommes invités chez les Secrétan.

Je me suis levée d'un bond et lui ai fait face.

– Je n'irai pas !

– Fini la comédie et les caprices, ma fille ! Tu vas te préparer et mettre une belle robe. Et tu seras gracieuse et avenante.

– Même si vous me traînez par les cheveux, même si vous me frappez à nouveau, je n'irai pas ! Et si je vois le père Secrétan, je lui dirai la misère que vous me faites, les mauvais traitements que vous m'avez infligés. Et il saura quel méchant père vous êtes.

– Cela ne me dérange pas de te corriger à nouveau, Marguerite. Tu es plus rétive que je ne le pensais, plus stupide aussi.

– Vous ne pourrez pas me contraindre éternellement. Un jour, je serai libre, et je retrouverai Vincent, et vous ne pourrez pas m'en empêcher. Vous pouvez me battre, me séquestrer à double tour, dès que vous aurez le dos tourné, je m'enfuirai de cette maison horrible, et vous n'irez pas vous plaindre à la police car vous seriez la risée de tous ! Et moi, j'irai le rejoindre, où qu'il soit. S'il partait à Madagascar avec son ami Gauguin, eh bien, j'irais là-bas, et si je ne le trouvais pas là-bas, je le cher-cherais, et si je devais traverser l'océan à la nage, je le ferais, et personne ne me retiendrait en disant que c'est une folie impossible à réaliser, et je finirais par le trouver parce que je n'ai rien d'autre à faire sur cette terre que d'être à lui. C'est la plus belle chose qui pouvait m'arri-ver : l'aimer et être aimée de lui.

– Arrête de rêver ! Tu te fais des illusions, pauvre sotte. Il ne pense pas à toi. Il ne songe qu'à partir en Bretagne et à rejoindre ses amis.

– C'est faux ! Il m'aime. Je suis son petit tournesol. Vous ne pouvez pas comprendre. Vous ne pourrez pas nous empêcher de nous aimer.

Il me donna une gifle vigoureuse qui me projeta en arrière, je cognai violemment contre le rebord de la commode, je faillis tomber et me retins à une des poignées. La douleur me transperça le dos. Il vint vers moi, la main levée. J'ouvris le tiroir, attrapai le revolver d'infanterie qu'il m'avait demandé de porter chez l'armurier et le pointai dans sa direction.

– Tu oses me menacer ? Moi, ton père ?

– Si vous faites un pas de plus, je n'hésiterai pas à tirer ! Je vous le jure !

– Cela m'étonnerait. L'arme est enrayée ! Petite imbécile !

Mon doigt agrippa la détente, le barillet exécuta une fraction de tour et, dans le silence, nous entendîmes clairement un petit clic, et le chien se tendit. Mon père devint blême et me dévisagea avec des yeux ronds.

– Et moi, je ne crois pas du tout qu'il soit enrayé, je vous déconseille fortement de prendre ce risque. Reculez-vous !

Mon père fit trois pas en arrière et se plaça derrière le lit.

– N'essayez pas de me suivre. Ni vous ni personne.

Je me saisis du sac de velours marron contenant les bijoux de ma mère et, le tenant en respect avec l'arme pointée, je récupérai ma pèlerine et sortis de la chambre, l'enfermant à clef à son tour. Je descendis les escaliers en courant. Paul émergea du salon, un journal à la main.

– Marguerite, que se passe-t-il ?

Je ne lui répondis pas. Je sortis de la maison et jetai la clef dans un massif de fleurs.

*

Lettre de Théo à Vincent, 1ᵉʳ juillet 1890

« *Ne te casse pas la tête pour moi ou pour nous mon vieux, sâches le que ce qui me fait le plus grand plaisir c'est quand tu te portes bien & quand tu es à ton travail qui est admirable. Tu as déja trop de feu, et nous devons être encore bon à la bataille d'içi longtemps, car nous bataillerons toute notre vie sans prendre l'avoine de grace que l'on donne aux vieux chevaux de grande maison. Nous tirerons la charrue jusqu'à ce que cela ne marche plus & que nous regarderons encore avec admiration le soleil ou la lune, selon l'heurre.* »

*

Je suis partie à la recherche de Vincent, je suis allée sur les lieux où il aimait poser son chevalet, mais il y en avait tant que je tournais en rond, il faisait à nouveau une chaleur de four, et en ce dimanche, il n'y avait pas âme qui vive dehors qui puisse me renseigner, me dire s'il avait été vu quelque part. J'étais paniquée à l'idée de ne pas le trouver, de ne plus le revoir, et je me suis juré de ne pas renoncer, même si je devais aller jusqu'à Paris ou en Bretagne. Peut-être était-il resté à l'abri, au village. Je m'apprêtais à retourner à l'auberge quand, sur la route de Chaponval, je l'ai aperçu, protégé du soleil par une chaumière à moitié en ruine. J'ai d'abord vu son chevalet ; il peignait un champ de blé qui s'étageait sur un vallon, un champ agité et tourmenté, comme traversé par une tempête, pourtant il n'y avait pas un zeste de vent et les blés étaient immobiles. D'ailleurs je ne suis pas certaine qu'il peignait, on aurait dit qu'il boxait la toile avec sa brosse, enroulant des mouvements circulaires bleutés là où, devant mes yeux, il n'y avait qu'une étendue dorée à perte de vue. Je me suis approchée et me suis immobilisée, je le regardais peindre, j'entendais son souffle court, nerveux, il donnait l'impression d'un artiste pressé d'en finir avec son travail tant ses gestes étaient vifs, parfois il s'arrêtait, le bras en suspens, il ne s'intéressait pas au champ mais fixait sa toile intensément, puis il reprenait son combat sans avoir jeté un œil aux blés.

Je ne sais pas combien de temps je suis restée ainsi à considérer l'homme de ma vie, à essayer de comprendre pour quelles raisons je m'étais entichée de ce peinturlureur. Comment avais-je pu tomber amoureuse d'un individu comme lui ? Et abandonner tout orgueil et tout amour-propre pour quelqu'un qui me repoussait et m'ignorait, qui n'était ni beau ni prévenant, pauvre comme Job, et qui ne s'intéressait, ne parlait que de peinture, comme si c'était la seule chose sur cette terre qui méritait une conversation. Je me rappelle m'être demandé, à cet instant précis, si je ne faisais pas une erreur, si notre histoire n'était pas condamnée à l'avance, et s'il ne valait pas mieux rebrousser chemin et rejoindre les miens au déjeuner des Secrétan. C'est à cet instant qu'il s'est retourné, le pinceau à la main, et m'a découverte à dix pas de lui.

– Oh, Marguerite ! Ça fait plaisir de te voir. Tu es rentrée quand ?

Il enleva son chapeau de feutre et s'essuya le front d'un revers de manche. J'ai senti mes jambes qui tremblaient et un frisson dans le dos.

– Rentrée d'où ?

– Ton frère m'a dit que tu étais partie en vacances sur la côte normande. Cela m'a un peu surpris mais...

– Je ne suis pas partie, Vincent. Je n'ai pas bougé de la maison. C'est mon père qui a dû... Est-ce que mon frère vous a remis mes lettres ?

– Quelles lettres ? J'ai croisé ton frère deux, trois fois, mais il ne m'a rien donné, et rien dit, hormis une fois que tu étais partie. Que s'est-il passé ? Pourquoi ce silence ?

– Je n'ai pas envie d'en parler. Pas maintenant. Je suis si heureuse de vous revoir. J'avais tellement peur de... Vous avez l'air en pleine forme.

– Tout va bien, j'ai beaucoup travaillé, comme jamais auparavant. Je pars demain, je quitte Auvers. Je n'ai plus rien à faire ici, j'ai peint tout ce qu'il y avait à peindre. Je vais rejoindre Gauguin en Bretagne, pour un ou deux mois, on fera peut-être quelque chose ensemble. Avant, je resterai un peu à Paris pour voir mon frère et embrasser le petit, passer un peu de temps avec eux et voir des amis, je vais faire une exposition aussi.

– Je... est-ce que je peux venir avec vous, Vincent ?

– Tu veux m'accompagner ? À Paris ?... En Bretagne ?

– Oui, c'est exactement cela.

– Je suis désolé, mais il n'en est pas question.

– On a toujours dit...

– On n'a rien dit ! m'interrompit-il. Je n'ai pas le temps de m'occuper de toi. Je vais en Bretagne pour peindre, je n'ai pas l'intention de m'installer en couple. On n'a rien à faire ensemble, tu as dix-neuf ans, j'en ai le double, Et moi ce que je veux, c'est peindre, pas fonder une famille.

– Moi aussi, je veux peindre. Je ne vous embarrasserai pas, vous ne vous rendrez pas compte de ma présence, on se retrouvera le soir, ou quand vous voudrez, je n'ai pas d'exigences vous savez, je ne vous demande rien, que de pouvoir rester près de vous. Et je vous aiderai dans votre peinture.

– C'est non, Marguerite, catégoriquement non. J'ai mon frère pour m'aider. Je n'ai besoin de personne d'autre.

– Ce n'est pas ce que je voulais dire, mais je vous aime Vincent, comme aucune femme ne vous a aimé. Je ferai tout ce que vous voudrez, vous n'avez qu'à me dire. J'ai apporté mes bijoux, vous savez, les bijoux de ma mère, on peut les vendre facilement, en tirer un bon prix, vivre dessus longtemps, le temps que votre peinture soit reconnue et que...

— Tu ne veux pas entendre ce que je dis ou quoi ? Je ne veux pas que tu me suives. Ta vie est ici, Marguerite, pas avec moi. Va au bal, amuse-toi avec des jeunes de ton âge et oublie-moi. Marie-toi si ça te chante avec ton pharmacien, ce ne sera pas une mauvaise vie. Mais nous n'avons pas d'avenir ensemble.

— Vous m'aviez promis...

— J'ai été honnête avec toi, je ne t'ai jamais menti, je n'ai jamais rien dissimulé, tu t'es fait des idées, c'est tout.

— Pourtant, tous les deux...

— Je ne voulais pas avoir de relations avec toi, tu es trop jeune, j'ai cédé, c'est vrai, je n'aurais pas dû, mais je n'ai rien promis.

— Si vous me quittez, je vais devenir folle.

— Non, Marguerite, tu seras triste un moment, mais ça passera, parce que tu as dix-neuf ans, et puis tu m'oublieras, et tu te demanderas même comment tu as pu tomber amoureuse d'un pauvre type comme moi, et tu en riras, et tu auras bien raison. Je t'aime bien, tu sais, mais entre nous deux, il n'y a rien de possible. Rien du tout.

— Vous n'avez pas compris. Ce n'est pas une petite amourette. Je vais mourir, c'est tout.

— Mais non, tu vas rentrer chez toi, et puis avec le temps...

— Vous ne savez pas de quoi je suis capable, Vincent, je ne suis pas une blanche colombe.

— Tu commences à me fatiguer, Marguerite. Je ne suis pas amoureux de toi. Je ne t'aime pas, tu comprends ? Je ne peux rien pour toi.

— C'est horrible ce que nous sommes devenus.

Vincent remit son chapeau, enleva la toile du chevalet, plia celui-ci en un rien de temps, jeta sa palette et ses brosses dans la besace qu'il accrocha à une épaule et balança son chevalet sur l'autre, attrapa sa toile encore humide avec précaution et partit en direction du village en me tournant le dos. Je l'ai vu, qui allait m'abandonner, c'est alors que j'ai attrapé le revolver de mon père et que je l'ai braqué sur ma tempe.

— Je vous ai vraiment aimé.

Mon doigt agrippa la détente, ma main tremblait. Je n'avais pas peur de mourir, au contraire, ce serait une délivrance, un monde nouveau dans lequel je ne souffrirais plus. Ma déchirure, c'était Vincent, qui s'éloignait sans un regard et je n'arrivais pas à retenir mes larmes.

— Adieu, Vincent ! criai-je. Ne m'oubliez pas.

Il se retourna, et s'immobilisa. Il laissa tomber sa besace, son chevalet et sa toile, son feutre chuta, il fit quelques pas dans ma direction, la main en avant, comme s'il cherchait à me toucher à distance.

– Ne fais pas de bêtise, Marguerite, cela n'en vaut pas la peine. Je suis ton ami, tu le sais.

– Ce n'est pas vrai, vous me quittez.

– Je dois vivre ma vie, je ne suis pas un homme qui peut fonder un foyer. Tu n'as rien à attendre de moi.

– Je veux juste qu'on vive ensemble.

Vincent était face à moi, il me souriait d'un air triste.

– J'aurais tellement voulu être capable de t'aimer comme tu mérites d'être aimée, mais tu me demandes une chose impossible.

– Sans vous, la vie ne vaut pas la peine d'être vécue.

– Je t'en supplie, Marguerite, essaie de comprendre. Je croyais que tu étais partie, que je ne comptais pas pour toi, j'ai attendu mais je n'ai reçu aucun mot de ta part, rien. Je ne savais pas quoi faire. Je me suis dit que toi aussi tu avais réalisé que c'était impossible nous deux et que tu avais préféré t'éloigner, et j'ai pensé que c'était une bonne chose. Qu'on avait vécu une belle histoire mais qu'elle devait s'arrêter. Tu comprends ? Tu resteras mon amie à jamais. Et on se reverra. Il y aura entre nous ce que nous avons vécu, et que nous serons seuls à connaître. Tu seras toujours mon petit tournesol.

– Non, Vincent, c'est fini, sans vous la vie n'a plus de sens.

Nous sommes restés face à face. Combien de temps ? Je ne saurais le dire aujourd'hui, ses yeux pénétraient au fond de mon âme et de mon cœur, et me transperçaient. J'attendais qu'il me sourie, qu'il me jette une perche à laquelle je puisse m'accrocher, qu'il me dise qu'après tout, ce n'était pas complètement absurde, qu'on pouvait peut-être essayer, j'étais prête à accepter n'importe quoi qui nous laisserait une chance, une chance infime. Ma main tremblait légèrement, le doigt crispé sur la détente. Et puis Vincent s'est jeté sur moi, il a saisi ma main, a essayé de m'arracher le revolver. J'ai résisté du mieux que je pouvais, mais il avait une force incroyable, il y a eu une brève lutte, inégale. Et le coup est parti. Une déflagration qui a terminé ce combat impossible. Vincent s'est reculé, il a posé la main sur son ventre, il y avait une tache de sang sur sa chemise. J'étais sidérée, effarée. Il a mis un genou au sol, a pressé de son poing son abdomen. Avec un effort inouï, il s'est redressé.

– Allez, rentre chez toi ! Je vais retourner à la pension me faire soigner. Ça n'a pas l'air trop grave.

Il s'est éloigné vers le village en titubant. Je l'ai suivi du regard un instant, j'ai constaté qu'il laissait son chevalet, sa besace et son tableau derrière lui, et je me souviens m'être dit que s'il abandonnait sa toile dans la poussière du chemin, c'est que ça allait mal.

Dans le ciel, le tournesol s'est mis à se tordre de douleur et à tournoyer sur lui-même, ses rayons dansaient une sarabande effrayante, il était aveuglant, j'ai senti une bouffée de chaleur m'envahir, j'ai eu l'impression de fondre, je n'arrivais plus à respirer, un tremblement m'a parcouru le corps, la terre s'est mise à tanguer, tout tournait. Puis le tournesol a explosé dans un éclair de lumière, et je me suis évanouie.

*

L'Écho pontoisien, jeudi 7 août 1890

« *Auvers-sur-Oise. Dimanche 27 juillet, un nommé Van Gogh, âgé de 37 ans, sujet hollandais, artiste peintre, de passage à Auvers, s'est tiré un coup de revolver dans les champs et, n'étant que blessé, il est rentré à sa chambre, où il est mort le surlendemain.* »

*

La suite ? C'est mon frère qui me l'a racontée, mon père aussi, mais avec lui, il a fallu batailler pendant des mois, lui arracher chaque détail comme autant d'épines douloureuses. Adeline Ravoux, fidèle à elle-même, changeait l'histoire à chaque rencontre, au gré de ce qu'elle entendait ou lisait à droite et à gauche, pourtant seule sa première version reflète la réalité de ce qu'elle a vu dans l'auberge de son père et ce qu'elle m'a confié quelques jours plus tard, encore bouleversée. Elle n'a pas pu l'inventer, et d'autres témoins se sont confiés, au creux de mon oreille, et m'ont permis de reconstituer le puzzle de ces journées noires.

Après deux jours de léthargie, j'ai émergé de mon

naufrage, je n'étais pas en état de me confronter à la vérité. Choquée, prostrée, mutique, je suis restée une semaine entre deux eaux, incapable d'avaler quoi que ce soit, le pouls quasi absent, hésitant entre le soleil et l'enfer, et il fallut les efforts conjugués de mon père et de Louise pour me ramener au port.

Paul était parti à ma recherche et, comme moi, il n'a pas croisé âme qui vive dehors en cette journée caniculaire. Dans l'après-midi, il a fini par me découvrir, inconsciente, sur le sol. Sur le coup, il n'a pas compris ce qui se passait. Vincent avait disparu. Paul a caché ses affaires dans un recoin de la chaumière abandonnée, a récupéré le revolver et, au prix d'un effort prodigieux, m'a ramenée à la maison dans ses bras, sans que quiconque nous voie, puis il est revenu récupérer la besace de Vincent, son chevalet et le tableau. Avec mon père, ils ont accrédité la thèse du suicide pour me disculper et que je ne sois pas inquiétée. Quand une erreur ou un mensonge est publié deux fois, il devient une vérité impossible à rectifier. Ce qui me semble effarant aujourd'hui, c'est qu'aucun des tenants de la thèse officielle ne se soit étonné de la disparition du chevalet, de la besace et du dernier tableau, et que l'arme, non plus, n'ait jamais été retrouvée. Curieux pour un suicide, non ?

Vincent mit plusieurs heures pour revenir à l'auberge, j'imagine avec effroi la douleur qui fut la sienne et ce qu'il souffrit à cause de moi. Il arriva en fin de journée, courbé et se tenant le ventre, passa devant les consommateurs attablés à l'extérieur sans dire un mot. La mère d'Adeline, remarquant son air hagard, lui demanda s'il allait bien, Vincent marmonna que oui, disparut aussitôt et gravit avec peine les dix-sept marches menant à sa mansarde. Le père d'Adeline, inquiet de ne pas le voir pour le dîner, monta dans sa chambre et le trouva couché sur son lit. Il l'interrogea sur sa mauvaise mine, Vincent souleva sa chemise et découvrit un trou ensanglanté dans son ventre. Le père d'Adeline fit venir le docteur Mazery, mais Vincent refusa qu'il l'examine et réclama le docteur Gachet.

Mon père se rendit à l'auberge avec mon frère et, à la lumière d'une bougie, il examina Vincent en présence du docteur Mazery, ils lui firent un pansement et estimèrent qu'il était impossible d'extraire la balle et, en l'absence de symptôme grave, optèrent pour la temporisation et lui donnèrent une tisane de pavot pour calmer la douleur. Vincent demanda s'il pouvait fumer, mon père ne s'y opposant pas, il prit sa pipe et son tabac, et se mit à fumer calmement.

Le lendemain, les gendarmes de la brigade de Méry, prévenus par on ne sait qui, se présentèrent à l'auberge. L'un d'eux, nommé Émile Rigaumont, apostropha Vincent avec sévérité, lui reprochant son geste insensé. À cette époque, le suicide était considéré comme un crime, et sévèrement puni. D'un air très doux, Vincent lui déclara : *Gendarme, je suis libre de mon corps et libre d'en disposer à mon gré. N'accusez personne, c'est moi qui me suis suicidé.*

*

*Analyse du professeur Vincent Di Maio, médecin légiste,
relevée par Steven Naifeh et Gregory White Smith*

« *… Il serait extrêmement difficile de se tirer une balle
a cet endroit [dans le flanc gauche] de la main gauche. Le
plus simple serait de poser ses doigts à l'arrière de la crosse
et d'utiliser le pouce pour tirer. On pourrait aussi saisir
l'arme de la main droite pour l'immobiliser… Tenir le
revolver de la main droite serait encore plus absurde. Il
faudrait placer le bras droit en travers de la poitrine et, là
encore, attraper la crosse par-derrière et tirer avec le
pouce, en s'aidant éventuellement de la main gauche pour
stabiliser l'arme.*

*Dans tous les cas envisagés, on aurait trouvé de la
poudre brûlée sur la paume de la main qui tenait l'arme,
les cartouches d'armes à feu en 1890 étaient encore char-
gées à la poudre noire… il y aurait eu de la suie, des
marques de poudre et de la peau brûlée autour du point
d'entrée. Tout cela aurait été grossièrement visible… Ce
qui prouve que le canon se situait à plus de 30 cm de sa
cible, voire plutôt 60 cm.* »

*

Vincent a agonisé pendant deux jours, il est mort au petit matin du mardi 29 juillet, veillé par Théo, appelé en catastrophe. Il avait trente-sept ans. À aucun moment, les deux médecins n'envisagèrent une opération, ni de le faire transporter à l'hôpital militaire de Pontoise, situé à six kilomètres, où des médecins du service de santé des armées, habitués aux blessures par arme à feu, auraient pu tenter une opération de la dernière chance, d'autant qu'il n'y avait pas d'organe vital atteint et pas d'hémorragie. Mon père le déclara intransportable, réussit à convaincre Théo que ce serait une démarche qui précipiterait sa fin et affirma que, malgré la septicémie, il espérait le sauver.

Théo voulut organiser les funérailles dans l'église d'Auvers que Vincent avait immortalisée, mais le curé fut intraitable, il s'opposa à tout service religieux pour le suicidé, qui plus est protestant, et refusa de prêter le corbillard et les cordes. La cérémonie funèbre se déroula à l'auberge Ravoux, où le cercueil fut fleuri de tournesols et de dahlias jaunes. Vincent fut enterré dans le cimetière d'Auvers, accompagné par une poignée d'amis, dont Pissarro, Émile Bernard et le père Tanguy.

Trois mois après le décès de son frère, Théo, devenu dément des suites d'une syphilis, fut hospitalisé. Son épouse Jo le fit rapatrier à Utrecht, où il mourut après une agonie effrayante, en janvier 1891. En 1914, elle fit transférer la dépouille de son mari à Auvers, pour que les deux frères soient inhumés côte à côte.

Théo a caché sa maladie à Vincent ; à cette époque la syphilis était synonyme de mort horrible et inéluctable. C'est cette conscience de sa fin prochaine qui devait tourmenter Théo, et la situation future de sa famille privée de son soutien ; et Vincent, qui ignorait la vérité, s'est mépris sur les préoccupations financières de son frère. Pour en finir avec l'extravagante thèse du suicide de Vincent, je veux dire qu'en ce mois de juillet 1890 il était enthousiaste, sa maladie était un vieux souvenir, il fourmillait de projets, mais surtout il faut réaliser que Vincent était un graphomane, l'écriture était pour lui presque aussi importante que la peinture, il y consacrait deux heures chaque soir, écrivant de longues lettres à tout le monde, pour un oui ou un non, à son frère bien sûr, mais aux autres membres de sa famille, à Gauguin et à tous ses amis et connaissances. Comment imaginer une seconde qu'il se soit suicidé sans un mot d'explication à ce frère qui était si proche de lui, à sa mère, à sa sœur ? Et qu'il n'ait laissé aucune instruction sur ce qu'il voulait qu'il advienne de ses tableaux, lui qui avait consacré sa vie à la peinture, est tout simplement inimaginable. On a retrouvé dans la poche de Vincent une lettre inachevée destinée à Théo, maculée de quelques taches de peinture, c'est un brouillon, qui ne contient pas le moindre indice sur un état désespéré pouvant conduire à un geste fatal.

*

Dernière lettre à Théo, retrouvée dans la poche
de Vincent

«Merci de ta bonne lettre et du billet de 50 francs
qu'elle contenait... Mais pourtant mon cher frère, il y a
ceci que je t'ai toujours dit et je le redis encore une fois
avec toute la gravité que puissent donner les efforts de
pensée... je considèrerai toujours que tu es autre chose
qu'un simple marchand de Corot, que par mon intermé-
diaire tu as ta part à la production de certaines toiles... je
te trouve agissant réellement avec humanité...»

*

J'ai mis longtemps à comprendre l'horrible vérité,
aveuglée que j'étais par ma confiance dans le médecin,
même si j'avais perdu depuis longtemps toute illusion sur
l'homme. Je suis convaincue aujourd'hui que mon père
a volontairement laissé mourir Vincent, refusant son
transfert à l'hôpital et le laissant périr dans les pires souf-
frances. Il se débarrassait ainsi d'un gêneur, qui avait
séduit sa fille et qui risquait, s'il survivait, de la lui faire
perdre à jamais et d'emporter sa famille dans le déshon-
neur. Je ne crois pas, contrairement à ce qu'il m'a répété
maintes fois, qu'il ait agi pour me protéger et m'éviter
l'infamie d'une arrestation et d'un procès. Quand, à la fin
de sa vie, j'ai osé lui lancer sa manigance à la tête et l'ai

traité d'assassin, il n'a pas protesté, il a haussé les épaules avec fatalisme et m'a répondu que c'était moi qui lui avais tiré dessus, pas lui, et que nous devions probablement être une famille de meurtriers.

Vincent ne m'a pas dénoncée, il a prétendu s'être suicidé afin de me protéger. C'est une preuve d'amour extraordinaire qu'il m'a donnée. J'aurais préféré qu'il vive, même si nos chemins avaient dû se séparer. Toute ma vie j'ai porté la culpabilité de mon acte. J'ai tué celui que j'aimais. Et jusqu'à mon dernier souffle, je ressentirai cette faute inexpiable.

Vincent n'était pas prêt à se laisser aimer. Il m'aimait à sa façon, et je ne la comprenais pas ou ne l'admettais pas. Il aurait fallu qu'il m'aime plus que la peinture, et cela, c'était inimaginable. Il ne pouvait me sacrifier la peinture, c'était tout simplement inconcevable. Il n'y avait pas de place dans sa vie pour une femme et la peinture. Il a fait des efforts mais, face à un champ de blé, un toit de chaume ou une meule de foin, je ne pesais rien.

Dans ma mémoire, je n'ai gardé que les moments joyeux, Vincent n'était pas triste ou sombre, il était comme un enfant qui découvre le monde, on avait des millions de choses à se dire. Mais lui savait que notre temps était compté. Pas moi. Il savait, d'instinct, bien avant que je ne l'admette, que nous sommes seuls sur cette terre et que nous ne pouvons rien faire contre cela. Seuls face à nous-mêmes. Seuls au milieu des autres.

Quoi que nous fassions pour donner le change. Et c'est la beauté de cette solitude profonde qu'il était arrivé à peindre.

*

Lettre de Vincent à Anthon van Rappard, août 1885

« *Je sais trop bien quel but je poursuis, je suis trop fermement convaincu d'être après tout sur la bonne voie, quand je veux peindre ce que je sens et sentir ce que je peins.* »

*

Mon père est décédé près de vingt ans plus tard, en 1909. Durant ses dernières années, nous avons vécu côte à côte comme chien et chat. Les rares périodes où il me regardait avec un peu de sympathie, c'est quand je faisais un tableau de Vincent ou de Cézanne. Il veillait à ce que j'utilise les mêmes toiles, les mêmes couleurs, prises chez leurs fournisseurs, pour que personne ne puisse y trouver à redire. À quelques reprises, il suggéra que j'appuyais trop certains traits, que je faisais de la copie, alors que j'arrivais à peindre à leur manière, avec un tel naturel que leurs plus proches amis, leurs marchands, leurs amateurs en furent trompés. Moi, je le faisais par amour pour eux. Je doute qu'il en ait éprouvé quand il vendit plusieurs de ces toiles pour des originales, et après lui, mon frère fit de même, mais moi, cela, je m'en fichais.

À sa mort, mon frère, bien que mon cadet, est devenu le chef de famille, et j'ai obéi à ses instructions comme j'avais suivi celles de mon père. En rangeant les affaires de son armoire après son décès, dans sa chambre à coucher, j'ai trouvé un carnet de dessins qui m'a bouleversée. Mon père m'avait dessinée, à des dizaines de reprises, sans que je m'en rende compte, pendant des années, travaillant de façon classique, au crayon ou à la sanguine, avec une précision étonnante.

Ce qui a attiré mon attention, ce furent les rubans dans les cheveux, et les robes qu'il m'avait faites, des robes à l'ancienne, avec échancrures, des tissages à rayures et des manches bouffantes comme on en faisait sous l'Empire, et que je n'avais jamais portées. Et puis, j'ai compris et j'ai été saisie d'effroi. Je tremblais, refusant d'admettre la réalité, mais je dus me rendre à l'évidence. Cette femme sur les dessins, si joliment dessinée, ce n'était pas moi, mais ma mère. J'avais ses traits, à frémir. Et mon père ne supportait pas cette fille qui lui rappelait l'amour de sa vie, et qui lui ressemblait comme deux gouttes d'eau. Louise y avait fait allusion à plusieurs reprises, mais je n'aurais pas cru que ce fût à ce point. Mon père n'a pas accepté que je sois la copie conforme de ma mère, avec les mêmes gestes, les mêmes attitudes et, d'après ce qui m'en a été dit, le même caractère, discutailleuse et jamais satisfaite. Il me l'a fait payer. Je ne lui en veux pas. Je lui reproche de ne pas avoir eu le courage de me le dire, nous aurions pu faire la paix. De toute façon, aujourd'hui, c'est trop tard.

*

Texte de Vincent, 1878

« *Vois-tu, il est des moments dans la vie où tout, en nous aussi, est paix et harmonie, et où la vie entière nous paraît un chemin à travers la bruyère.* »

*

Je n'ai pas connu d'homme après Vincent, moi aussi j'avais approché de trop près le soleil, je suis restée chez moi, dans ma maison, avec mon père et mon frère, je n'en suis quasi jamais sortie. J'ai continué de vivre avec Vincent auprès de moi. Cela dure depuis près de soixante ans, et il ne m'a pas quittée une seconde. Je n'ai pas de honte à le reconnaître, même si certains ricanent ou me prennent pour une folle. J'ai vécu avec lui à mes côtés, et j'ai été la femme la plus heureuse qui soit. Je n'aurais échangé ma vie pour rien au monde.

Je me suis souvent demandé comment Vincent voyait le monde. Chaque jour de ma vie, je me suis interrogée : qu'y avait-il de si particulier dans ses yeux, de si extraordinaire dans son regard, pour qu'il peigne de cette façon ? Je n'ai pas la réponse. Moi, je n'avais pas de talent. Aucune flamme ne brûlait dans mes mains. Je savais dessiner, je ne savais pas peindre. Je pouvais imiter. J'étais incapable de créer, d'imaginer, de rêver un tableau. Alors, j'ai commencé par la toile inachevée de Vincent. Je l'avais vu faire, j'avais l'esquisse sous les yeux, j'ai continué le travail. Je me suis approprié ce tableau, je l'ai regardé centimètre par centimètre durant des semaines sans savoir ce que j'allais faire, et puis je me suis lancée. J'avais attrapé la technique de Vincent, son coup de patte, sa puissance, sa folie, sa démesure. Je l'ai terminé. Les critiques les plus avisés ont découvert une nouvelle œuvre de Vincent et se sont exclamés devant son génie. C'était le plus bel hommage que je pouvais lui rendre, la plus belle preuve d'amour. Aujourd'hui, ce tableau se trouve dans un musée en Amérique. Pendant des années, ce fut ma manière de rester avec lui, de partager son existence, de poursuivre notre histoire, c'est sa peinture qui nous a unis. Je n'ai rien voulu de ce qui m'est arrivé, mais ce sont les choses qu'on ne choisit pas qui nous font devenir ce que nous sommes.

Pour mon frère, ce fut une aubaine, il a vendu des toiles et des dessins de Vincent aux collectionneurs et aux plus grands musées, il a fabriqué la belle histoire du docteur Gachet, l'ami des impressionnistes, qui a aimé et aidé Vincent, et cette supercherie a marché au-delà de ce qu'il espérait. Les amateurs ont mordu à l'hameçon, et à la mystification du *suicidé de la société*. Pour par-

achever notre œuvre, nous allons faire une grande dona-
tion au musée du Louvre. Mes tableaux seront admirés
par des cohortes d'admirateurs, des conservateurs dis-
serteront à n'en plus finir sur le génie de Vincent, et ils
auront raison, il était génial, et il m'a donné un peu de
son génie. J'ai vécu l'ascension de Vincent, sa reconnaissance comme un des plus grands peintres de tous les
temps, même si ni lui ni son frère n'ont pu en profiter.
Qu'ils soient privés de ce bonheur a été une infinie tristesse. Bien sûr, mon frère m'a exploitée, mais quelle
importance, j'ai fait ce que j'ai voulu de ma vie, j'ai vécu
avec Vincent.

Pendant plusieurs semaines après sa mort, j'ai
espéré porter son enfant. J'avais un mois de retard,
mais avec la séquestration qu'on me faisait subir, je
n'y ai pas prêté attention. Le deuxième mois, après le
choc de sa disparition, j'ai cru que j'allais être exaucée.
J'ai prié, j'ai supplié Dieu, à genoux, les mains jointes,
qu'il m'accorde la bénédiction de créer enfin quelque
chose d'important et d'unique. J'étais persuadée que
j'allais donner naissance à un garçon, et que je garde-
rais Vincent de cette manière toute ma vie auprès de
moi. Personne ne pourrait s'y opposer, mon père
serait obligé d'admettre la réalité, que cela lui chante
ou pas, mais Dieu ne m'a pas exaucée, pas plus qu'il
n'a sauvé Vincent, faisant perdre à l'humanité le plus
grand des peintres qui soit, qui nous aurait donné

encore mille chefs-d'œuvre, des tableaux qui auraient éclairé et embelli nos vies, et moi ma vie s'est arrêtée.

Je suis Marguerite van Gogh. Madame Marguerite van Gogh. La femme de Vincent. Je suis vieille et fatiguée, je vais bientôt partir, et je ne regrette pas de quitter cette terre de malheur. Je vais retrouver Vincent et nous resterons ensemble pour l'éternité.

J'ai renié Dieu depuis longtemps, je le maudis chaque jour de ma vie et je le maudirai jusqu'à mon dernier souffle. Car, malgré les cathédrales qu'on lui a construites, malgré les millions de prières qu'on lui adresse, il ne s'intéresse pas aux hommes, en réalité, il n'est qu'un impuissant, un dieu de pacotille. Peut-être que Vincent l'a entrevu, mais je ne le crois pas. Vincent a peint ce monde de façon bien plus belle que lui ne l'a créé.

Lettre de Vincent à Paul Gauguin, 3 octobre 1888

« ... *je crois qu'alors vous vous sentirez relativement consolé des malheurs présents de gêne et de maladie en considérant que probablement nous donnons nos vies pour une génération de peintres qui durera encore long-temps.* »

NOTE DE L'AUTEUR

Marguerite Gachet est décédée à Auvers en 1949, à l'âge de quatre-vingt-un ans, en emportant son secret. Vincent van Gogh est venu à Auvers-sur-Oise pour se faire soigner par son père, le docteur Paul Gachet. Il y est resté soixante-dix jours, du 20 mai au 29 juillet 1890, jour de sa mort brutale, à l'âge de trente-sept ans. Pendant cette courte période, Van Gogh a peint soixante-quinze toiles. Vincent a peint Marguerite de façon certaine à deux reprises.

Si plusieurs témoins rapportent l'existence d'une relation amoureuse entre eux, il n'en existe aucune preuve.

Le suicide de Vincent van Gogh a été contesté dès le début du XXe siècle, mais la thèse du suicide, de l'artiste maudit, du *suicidé de la société*, arrangeait tout le monde. Aujourd'hui, cette hypothèse paraît invraisemblable, elle est combattue par de nombreux historiens d'art, mais il n'existe aucune preuve irréfutable, pas plus du suicide que d'un accident.

Marguerite Gachet et son frère Paul ont fait don de nombreuses toiles de Van Gogh et de Cézanne, qui se trouvent aujourd'hui au musée d'Orsay. Il est établi que plusieurs de ces toiles sont des faux, notamment le deuxième portrait du docteur Gachet.

Je remercie vivement Benoît Landais pour son aide et pour avoir répondu à mes nombreuses questions. Benoît Landais est un spécialiste mondialement reconnu de l'œuvre de Vincent van Gogh, auteur de nombreux ouvrages d'art, notamment : *L'Audace des bandits. L'affaire Gachet*, Éditions du Layeur, 1999 ; *La Folie Gachet. Des Van Gogh d'outre-tombe*, Les Impressions nouvelles, 2009.

Outre les ouvrages de Benoît Landais, j'ai principalement utilisé comme documentation : *Van Gogh*, de Steven Naifeh et Gregory White Smith, Flammarion, 2013 ; *Qui a tué Vincent van Gogh ?*, de Pierre Cabanne, Quai Voltaire, 1992 ; *Enquête sur la mort de Vincent van Gogh*, de Robert Morel, Équinoxe, 2012 ; *Les Souvenirs d'Adeline Ravoux sur le séjour de Vincent van Gogh à Auvers-sur-Oise,* Les Cahiers de Van Gogh, Genève, 1953 ; *Les Soixante-Dix Jours de Van Gogh à Auvers-sur-Oise*, de Paul Gachet, éditions du Valhermeil, 1994 ; *Un ami de Cézanne et de Van Gogh, le docteur Gachet*, d'Anne Distel, Réunion des musées nationaux, 1999.

DU MÊME AUTEUR

Aux Éditions Albin Michel

LE CLUB DES INCORRIGIBLES OPTIMISTES, Goncourt des lycéens 2009, prix des Lecteurs de Notre Temps 2010.

LA VIE RÊVÉE D'ERNESTO G., 2012.

TROMPE-LA-MORT, 2015.

Aux Éditions du Livre de Poche

DERNIÈRE DONNE, 2014.

Composition : IGS-CP
Impression : CPI Bussière en août 2016
Éditions Albin Michel
22, rue Huyghens, 75014 Paris
www.albin-michel.fr
ISBN broché : 978-2-226-32875-5
ISBN luxe : 978-2-226-18493-1
N° d'édition : 22279/04 – N° d'impression : 2025208
Dépôt légal : août 2016
Imprimé en France